FLAPS!
Liderança AdaptÁgil

6 PASSOS para acelerar resultados e decolar sua carreira

João Marcelo Furlan

4ª Edição

São Paulo, 2016
www.dvseditora.com.br

FLAPS!

6 passos para acelerar resultados e decolar sua carreira com a
Liderança AdaptÁgil

DVS EDITORA 2016 – Todos os direitos para a língua portuguesa reservados pela Editora.

Nenhuma parte deste livro poderá ser reproduzida, armazenada em sistema de recuperação, ou transmitida por qualquer meio, seja na forma eletrônica, mecânica, fotocopiada, gravada ou qualquer outra, sem a autorização por escrito dos autores e da Editora.

Coordenação de projeto: Renato Fontana Capalbo
Capa, diagramação, design e ilustração: Rodrigo Stella
Edição Técnica: Isadora Marques

Dados Internacionais de Catalogação na Publicação (CIP)
(Câmara Brasileira do Livro, SP, Brasil)

Furlan, João Marcelo
    Flaps! : 6 passos para acelerar resultados e decolar sua carreira com a liderança adaptágil / João Marcelo Furlan. -- São Paulo : DVS Editora, 2015.

    ISBN 978-85-8289-108-7

    1. Administração de pessoal 2. Liderança 3. Sucesso profissional I. Título.

15-09316   CDD-658.4092

Índices para catálogo sistemático:

1. Liderança e gestão de pessoas :
    Administração de empresas   658.4092

À minha mãe, que me ensinou que educação é a única coisa que nunca poderão tirar de você.

Ao meu pai, que foi o primeiro a acreditar e apostar no meu sonho.

À minha esposa que me inspira todos os dias.

E a todas as pessoas que trabalham e trabalharam na Enora Leaders:

Vocês me ensinaram o que é liderança.

SUMÁRIO

Introdução..8
    Carta à tripulação..8
    O que você vai ver neste livro: o modelo FLAPS!............................10
    Modelo FLAPS!..12

PARTE 1 | COMO OS LÍDERES DECOLAM..14

**CAPÍTULO 1 | Aprendendo a voar:
A disposição de querer ir além**..16
    Reflexão de Líder..20
    E quanto a você?...20

**CAPÍTULO 2 | Última chamada antes da decolagem:
Afinal, você quer mesmo voar?**...24

CAPÍTULO 3 | A escola de pilotos: Como se prepara um líder............30
    Qualquer um pode ser líder?...30
    Liderança para mim é isto...32
    Liderança, assim como voar, tem uma função................................34
    Liderança é um processo para atingir resultados..........................35

**CAPÍTULO 4 | Alçar voo e sair de sua zona
de conforto para ser um Líder AdaptÁgil**..38
    Acelerando sua formação como líder...42
    Liderando em um mundo VUCA...43
    A capacidade de se adaptar rapidamente......................................44
    O surgimento do gestor AdaptÁgil...45
    Manifesto Ágil...46

**CAPÍTULO 5 | Plano de Voo:
Passo a passo para acelerar sua Liderança AdaptÁgil**......................50
    Liderança tem uma "carreira"...50
    O caso clássico do ótimo técnico que se torna um líder fraco......50
    Mapa das fases de carreira em Y..51
    Conhecendo melhor a carreira de líder..52
    Pipeline de liderança...53
    Colaborador individual X Gerente de primeiro nível.....................54

Decolando e acelerando seu desenvolvimento como líder AdaptÁgil...............56
    Vogais da Liderança...56
        Autoconhecimento..57
        Estrutura..58
        Inteligência Emocional e Competências...................................61
        On the job (aplicação prática)..64
        Uhuuul! (comemore vitórias)...65

PARTE 2 | DESCOBRINDO O PROCESSO DE LIDERANÇA ADAPTÁGIL...68

TUTORIAL | Como aproveitar o máximo do seu livro........................70

CAPÍTULO 6 | Voar para onde?
Defina seu destino... ou sua VISÃO de líder
L1: Desenvolva sua visão..72
    Ter uma visão clara..74
    Construindo a visão de líder..77
        a) Propósito significativo...77
        b) Imagem clara de futuro...79
        c) Valores claros..80

CAPÍTULO 7 | Você conhece bem sua tripulação?
L2: Conheça seus seguidores..82
    As dimensões para reconhecer o estágio do membro do time.......84
        1D - Conheça o perfil comportamental do membro de sua equipe......85
            O que os fatores do DISC® querem dizer afinal.................87
        2D - Conheça o momento de desenvolvimento de seus seguidores......93
            Competência e Comprometimento.......................................95
            Estágios de desenvolvimento..96
        3D - Conheça o nível de maturidade emocional.................................100

CAPÍTULO 8 | É seguro voar com você?
L3: Construa confiança e uma relação de respeito..........................104
    A) Confiança e o alto desempenho..105
    B) Construindo a confiança como líder com o time...........................108
        13 comportamentos da construção de confiança.................111
        4Cs da confiança...113
        Como reconstruir a confiança?..114
            Os 10 passos para reconstruir confiança............................115
        Como conseguir respeito:...116
    C) Autoconfiança...118

CAPÍTULO 9 | Aperte o cinto, é hora de decolar!
L4: Compartilhe sua visão, envolva e ouça o time. Influencie..........122

    A| Compartilhe sua visão iniciando a comunicação de líder................123
        O processo de comunicação..124
    B| Ouvindo e envolvendo sua equipe..125
        Pirâmide da riqueza do canal...126
        Reduzindo os pontos cegos..127
        Os quatro quadrantes da janela de JoHari:........................129
            O Ponto cego...129
        Diminuindo as fontes de ruído..130
            Como compartilhar a visão com cada tipo: 131
            Como garantir que sua comunicação será lembrada?......132
    Sobre a influência..134
        As 11 táticas de influência..136
    Envolvimento da equipe - cocriando a visão junto com o time......141
        Evoluindo a maturidade emocional da equipe....................142

CAPÍTULO 10 | Vencendo desafios do voo de cruzeiro
L5: Inspire, engaje e mantenha a motivação..........................144

    #1) Inspire...145
        A | Ser o exemplo ou Role Model...148
            Como líderes podem ser melhores exemplos: 149
        B | O campeão da mudança..150
            O passo a passo da persuasão.......................................150
        C | O iniciador...151
    #2) Engaje...152
        Adaptando o estilo de liderança...155
        Os 4 estilos de liderança...156
            E1 – Direção...157
            E2 – Treinamento...158
            E3 – Apoio..159
            E4 – Delegação...160
        A importância da inteligência emocional
        para adaptar o estilo de liderança..164
            Estratégias da inteligência emocional..........................168
        Reforçando o papel da abertura ao feedback.....................168
            Reações em feedbacks..169
    #3) Motive..170
        Como motivar pessoas diferentes de forma diferente? 172
            Motivando perfil D..173
            Motivando perfil I..173
            Motivando perfil S...174
            Motivando perfil C..176
        Estimulando diferentes níveis de maturidade emocional.......179

Capítulo 11 | A hora da aterrissagem
**L6: Mantenha o senso de urgência,
persevere e celebre as vitórias**..182
    Mantenha o senso de urgência...182
    Perseverança...186
    Comemore!..191

**EPÍLOGO | A conexão para o próximo voo
Pensamentos finais**...196

NOTAS..198

INTRODUÇÃO
Carta à tripulação

Nova Iorque (Newark) para Dallas, 15 de maio - Voo UA 0465

Há quanto tempo eu não via meu velho companheiro, este exuberante rio Mississipi, que por onde passa dá vida ao interior da América do Norte e transforma em abundância suas vastas planícies... Aliás, não o via desde que me formei no terceiro ano do ensino médio na Christian Brothers High School, na cidade de Memphis no estado do Tennessee. É justamente neste momento, em que os flaps do avião sobrevoam este colosso fluvial que começo a redigir esta primeira página deste livro tão almejado.

No entanto, este momento para iniciar a redação não foi selecionado pela importância deste rio em minha história ou pelo motivo de minha viagem, mas sim por necessidade: é somente aqui, no avião, milhares de quilômetros de casa, de minha esposa, da empresa e dos clientes, sem acesso à internet e em paz com a leitura que encontrei este momento mais adequado para decolar este projeto.

À frente, a cidade de Dallas, onde irei concluir a certificação em desenho de programas de desenvolvimento de liderança e ainda participar do maior evento voltado ao desenvolvimento de pessoas no mundo, a expo ASTD (Sociedade Americana de Treinamento e Desenvolvimento), em que buscarei conhecer líderes globais, saber o que pensam e, acima de tudo, cumprir minha missão enquanto Enora – a empresa que fundei e hoje dirijo – de fazer a ponte entre o mundo e o Brasil, levando as melhores práticas para nosso país.

Segundo pesquisas, a maioria das pessoas vira gestor sem nenhum treinamento formal. Não admira que 60% deles falhem em seus dois primeiros anos na função[1]. Sem contar que gestores com fraco desempenho podem colocar a empresa em risco – ou porque não ajudam a desenvolver a equipe (pelo contrário, muitas vezes impedem as pessoas de fazer contribuições mais significativas) ou porque diretamente as faz desistir, gerando altos índices de turnover[2](percentual de pessoas que compõem uma força de trabalho que saem durante um determinado período de tempo), entre outros impactos. Não é à toa que se diz:

"Pessoas não abandonam empresas. Abandonam seus chefes".

É por isso que este livro parte da ambição de que podemos criar também tecnologia em ensino, modelos e práticas voltadas ao desenvolvimento de grandes líderes, facilitando seus passos no início deste "bicho liderança" que se fala tanto, mas poucos realmente o entendem ou sabem como replicar. Transmitir de forma clara, com uma forma de fazer que tenho aplicado nos últimos anos nos treinamentos que realizo pela Enora Leaders em programas para as grandes empresas no Brasil e no mundo. E terá um novo ingrediente dentro de três semanas, quando eu finalmente chegar à "meca" da liderança em Greensboro, no interior do estado da Carolina do Norte, sede da CCL (Center for Creative Leadership), organização que desde 1970 formou o maior número de líderes no mundo.

O modelo apresentado nas próximas páginas é fruto de uma reflexão profunda sobre o processo de aceleração de liderança, observado por experiências pessoais desde a presidência e fundação do Diretório Acadêmico durante meus anos de graduação no Insper aos 19 anos, ao assumir a diretoria de uma startup nas Filipinas aos 23 e a presidência da Enora Leaders aos 25 e nesta posição desde então, e da provocação contínua, estimulando-me a sair da zona de conforto com sede de aprender mais, praticar mais e gerar resultados junto às pessoas – de uma forma cada vez mais ágil e adaptada às pessoas diferentes.

O QUE VOCÊ VAI VER NESTE LIVRO:
O MODELO FLAPS!

Neste livro, o foco é criar a base para sua formação acelerada como líder, ensinando o "como" liderar. Para tanto, apresento a você o nosso FLAPS! – Flaps é o acrônimo para o modelo apresentado neste livro: *Furlan Leadership Acceleration and People management System* (Sistema Furlan de Aceleração de Liderança e Gestão de Pessoas), que nada mais é do que um passo a passo para a complexa tarefa de fazer a gestão de pessoas com a agilidade e o dinamismo necessários para responder às demandas organizacionais de hoje em contínua mudança.

Trata-se de um modelo composto de dois processos distintos. Um, que você vai conhecer a partir de agora neste livro, chamado "Processo de Liderança AdaptÁgil", e outro, que vou apresentar na segunda parte do FLAPS! (em outro livro), chamado "Processo de Gestão AdaptÁgil".

MODELO FLAPS!: Conheça nas próximas páginas

- Processo de Liderança AdaptÁgil (Livro I)

- Processo de Gestão AdaptÁgil (Livro II)

Espero que este modelo apoie você em sua transformação e que realmente ele possa ser um guia prático, para que seu potencial de liderança seja liberado de forma ágil. E, para iniciar sua jornada de líder, proponho que conheça a seguir a primeira parte do FLAPS!, com os passos (L1 a L6) do Processo de Liderança AdaptÁgil que vão ajudar você a mobilizar pessoas com agilidade em uma determinada direção, alcançando assim os resultados desejados para sua meta, seu crescimento pessoal e de sua carreira.

Boa decolagem e aceleração de seu desenvolvimento!
Um cordial abraço e boa leitura,

J. M. Furlan

FLAPS! *Furlan Leadership Acceleration and People management System*

Ambiente V.U.C.A.

Processo de Liderança AdaptÁgil

OBJETIVO ORGANIZACIONAL
Missão, visão, valores
Planejamento estratégico

L1 — Desenvolva sua VISÃO	L2 — CONHEÇA seus seguidores	L3 — Construa CONFIANÇA e uma relação de respeito
RESULTADOS ESPERADOS		**EXECUÇÃO**
G1 — Defina METAS e competências necessárias	G2 — Defina RESPONSÁVEIS e aloque recursos	G3 — DESENVOLVA as competências do membro do time

Processo de Gestão AdaptÁgil

Sistema Furlan de Aceleração de Liderança e Gestão de Pessoas

ƩΠORΛ enlightening leaders

Incentive o crescimento de longo prazo

Defina novos desafios

L4
Compartilhe sua visão, envolva e ouça o time. **INFLUENCIE**

L5
INSPIRE, engaje e mantenha a motivação

L6
Mantenha o senso de urgência, **PERSEVERE** e celebre as vitórias

PELA EQUIPE — **RESULTADOS ALCANÇADOS** — **NOVO DESTINO**

G4
DELEGUE e organize o trabalho. Defina o ritmo

G5
Acompanhe. **APOIE** a tomada de decisão e a resolução de conflitos / obstáculos

G6
Avalie os resultados. Forneça **FEEDBACK** constante

Correção de rota | Se consistente, substitua

Recompense/reconheça | Se consistente, promova

PARTE 1

Como os líderes decolam

APRENDENDO A VOAR:
A disposição de querer ir além

Capítulo 1

O ano é 1901 e, pouco antes de os aviões começarem a cruzar os horizontes com seus monomotores, audaciosos inventores disputavam o prêmio Deutsch navegando sob o céu de Paris em suas distintas máquinas voadoras. O desafio, valendo 100 mil francos, oferecido pelo milionário Henri Deutsch de la Meurthe, seria dado àquele que "...partindo do parque de Saint Cloud, de Longchamps, ou de qualquer outro ponto, situado a uma distância igual da Torre Eiffel, alcance em meia hora este monumento e, rodeando-o, volte ao ponto de partida." [1]

Entre os participantes da disputa está um jovem brasileiro, gozando de seus 27 anos de idade, chamado Alberto Santos Dumont. Ele, que há apenas três anos voava sobre a Cidade Luz a bordo de um pequeno balão esférico "que mais parecia uma bola de sabão"[2], agora almejava concretizar a prova voando seus dirigíveis. Sua primeira tentativa para a conquista do prêmio foi a bordo do dirigível N4, que acabou caindo sem alcançar nenhum sucesso. Já em 12 de julho de 1901, Santos Dumont conseguiu cumprir parcialmente a prova, contornando a torre, porém superando em 10 minutos o tempo máximo estipulado[3]. Esse mesmo modelo, apelidado N5, acabou por explodir em 8 de agosto daquele ano, deixando o aeronauta "dependurado a uma calha onde se enroscaram as cordas de piano frente a uma parede lisa e a 24 metros de altura"[4] por chocar-se contra um prédio sob nova tentativa de conquista do prêmio.

Santos-Dumont a bordo do balão "Brasil".

Foi então que construiu uma máquina mais possante, o N6, dotada de um motor de 20 cavalos que conduziam 630 metros cúbicos de armação. E após 25 viagens, finalmente o pequeno Alberto conseguiu ultrapassar a linha de chegada, vencendo o Prêmio Deutsch em 29 minutos e 31 segundos. O mundo entra em festa, é uma nova era da aviação! Ele, agora ídolo internacional, distribui o desejado prêmio de mais de uma centena de milhar de francos entre os mecânicos que o apoiaram nesse feito.

A visão de Santos Dumont para a aviação depois dessa conquista fica clara em seu artigo escrito para a revista *Je Sais Tout*, em que diz:

> "O dirigível terá utilidade prática, antes de se concretizar a máquina voadora... esta, completamente diferente do dirigível, será descoberta sem dúvida nenhuma."

Santos Dumont contornando a Torre Eiffel com o dirigível número 5, em 13 de julho de 1901.

E, assim, ele participaria dessa nova corrida.

A vontade de Santos Dumont de obter conquistas ainda maiores o levou a disputar dois novos prêmios que surgiram após a conquista do Deutsch, como o prêmio Archdeacon, para aquele que voasse ao menos 25 metros operando uma máquina voadora, e o prêmio do Aeroclube Francês, para quem voasse mais de 200 metros. Ele então criou outros modelos de dirigível, chegando ao "Santos Dumont N14", que consistia em uma grande máquina acoplada a um dirigível. Com os testes, Santos Dumont notou que o balão facilitava a decolagem, mas prejudicava as manobras. Então, ele criou ma segunda versão deste modelo, batizando-o de 14-Bis, que se tornou um avião completo, dotado de rodas para decolagem e pouso, sem o balão anexado de antes.

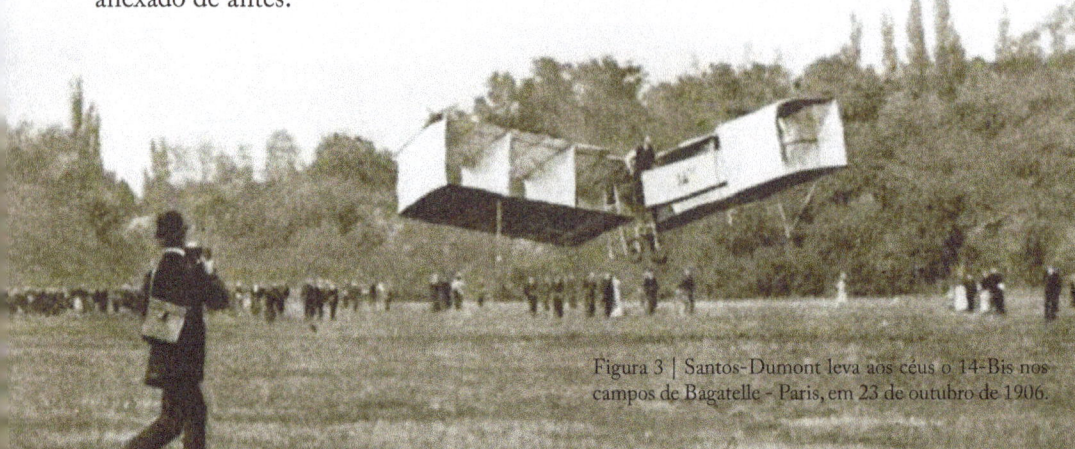

Figura 3 | Santos-Dumont leva aos céus o 14-Bis nos campos de Bagatelle - Paris, em 23 de outubro de 1906.

Capítulo 1

Assim, com essa grandiosa máquina, em 23 de outubro de 1906, diante de mais de 3 mil expectadores, o primeiro avião, partindo sem catapulta e dotado de rodas, levantou voo do chão e venceu o ar por 60 metros, voando a mais de um metro de altura! Mais uma vitória alcançada pelo aviador, o prêmio Archdeacon. Logo depois, ele também conquistaria o cobiçado prêmio do Aeroclube da França, voando 220 metros continuamente e, como praxe, distribuindo entre os mecânicos os 1.500 francos que havia ganhado[5].

Após inúmeros recordes e criação de novos modelos, Alberto Santos Dumont aos 36 anos declarou o fim de sua carreira aeronáutica, passando a assistir grandes feitos de seus seguidores aeronautas. Em 25 de julho de 1909, o piloto Louis Blériot foi o primeiro a atravessar o Canal da Mancha por via aérea, tornando-se um herói na França.

Para encerrar esta breve narrativa dos primórdios do século XX, menciono o telegrama de Santos Dumont ao colega Blériot logo após seu feito:

"Esta transformação da geografia é uma vitória da navegação aérea sobre a navegação marítima. Um dia, talvez, graças a você, o avião atravessará o Atlântico[6]".

Blériot então retornou ao companheiro:

"Eu não fiz mais do que segui-lo e imitá-lo. Seu nome para os aviadores é uma bandeira. **Você é o nosso líder**[7]".

Le Petit Journal, 25 Novembro 1906.

 REFLEXÃO DE LÍDER

Proponho a você iniciar sua decolagem para a liderança a partir dessa passagem da vida desse grande homem, Santos Dumont. Dedique um minuto para assimilar os principais pontos do texto e refletir sobre as seguintes questões:

1. Qual era a grande visão (objetivo de longo prazo) de Santos Dumont em sua opinião?

2. Ele fez tudo isso sozinho? Se não foi sozinho, qual equipe o apoiou para realizar seus grandes e históricos feitos?

3. Ele pode ser considerado como alguém persistente?

4. Fica claro o exemplo que deixou para outros aviadores que vieram?

5. Em relação à comunicação com seguidores, foi importante ele reconhecer Blériot por seu feito?

6. Afinal, para que perseguir tanto um prêmio e no fim compartilhá-lo com a equipe?

E QUANTO A VOCÊ?

Vê um pouco de Santos Dumont no exemplo que dá em seu dia a dia? Nos feedbacks e celebração de vitórias junto ao time? É clara sua visão de onde gostaria de chegar? Será que você é uma pessoa persistente o suficiente para inspirar os outros a se superar?

Como todo brasileiro, eu já conhecia superficialmente a história do Pai da Aviação. No entanto, me aprofundei em sua biografia após um acontecimento no início de 2015, quando ministrei uma palestra na Câmara Espanhola de Comércio em São Paulo sobre "Aceleração de Liderança em Jovens de Alto Potencial", representando a ABRH-SP (Associação Brasileira de Recursos Humanos) com um colega inglês, professor Balvindar Powar, da IE Business School.

Em sua parte da apresentação, Bal (como prefere ser chamado) perguntou ao público presente: "Vocês podem me dizer nomes de grandes inventores brasileiros?". Depois de um tempo de silêncio, uma das pessoas da plateia respondeu "Santos Dumont". Bal respondeu: "O que ele inventou? É recente?", então houve naturalmente novo silêncio no público. Naquele instante percebi a importância de Santos Dumont não só para nossa cultura, como também para a identidade do brasileiro. Ele é o inventor, o líder inovador que deu certo e continua top of mind por mais de um século. E isso me intrigou. Onde estariam os novos e inovadores líderes do Brasil? Onde os heróis de um país jovem e com sede de crescer, que tradicionalmente é exaltado pela criatividade, pelo foco em relacionamento e jogo de cintura, suas características mais marcantes?

Em minha consulta mais apurada à biografia do aviador, notei que tínhamos um ponto em comum, uma convergência importante que marca o início de nossa educação formal. Ambos nos mudamos para a pujante Campinas (conhecida hoje como o "Vale do Silício Brasileiro"[8]), no interior do Estado de São Paulo, para iniciar os estudos no nível primário. Ele se mudou de Minas Gerais para estudar no legendário Colégio Culto à Ciência. Eu me mudei de minha terra natal, a capital de São Paulo, para estudar no Colégio Visconde de Porto Seguro, em Valinhos.

E foi naquele Porto Seguro que nasceu minha missão pessoal de apoiar a transformação do Brasil a partir da Educação. Como minha mãe, Maria Cristina, sempre teve uma visão muito forte do impacto positivo que o aprendizado do inglês teria para a carreira de seus filhos, já na 8ª série, com 15 anos, fiz uma excursão com o grupo da escola para um internato em Seven Oaks, pequena cidade a 50 minutos sentido sudeste de Londres (Inglaterra), onde passamos as férias de julho estudando inglês.

Ao chegarmos lá, ficamos aguardando a professora que conduziria as aulas do grupo. Lembro-me do desdém dela ao perguntar: "Vocês são o grupo da América Latina?". Não acho que ela teve qualquer intenção negativa quanto ao nosso grupo em si, mas a forma como ela perguntou naquele momento me fez, pela primeira vez, experimentar o que é sofrer preconceito por ser alguém vindo de algum país subdesenvolvido (hoje chamado "em desenvolvimento"). Provavelmente, ela nem soubesse o nome do nosso país e generalizou para "Latin America". Essa curta e poderosa pergunta dela até hoje é combustível para eu querer mais, para seguir a visão de que podemos mudar a partir da Educação, que temos, sim, muitos méritos, semelhantes aos do jovem franzino do interior que provou ao mundo que podemos voar.

> **É este o convite que faço a você: que embarque neste avião que vai decolar logo mais e, como líder, possa apoiar as pessoas a se desenvolver, a atingir resultados além do que acreditavam ser capazes. E, assim, você possa promover grandes transformações e conquistas.**

Nos próximos capítulos, você vai ingressar em uma jornada na qual apresentarei a parte inicial do FLAPS!, um processo para apoiar a aceleração de sua capacidade de liderar outras pessoas. Você vai passar pelos 6 passos da liderança, que mostram como engajar pessoas continuamente para conquistar resultados superiores, atuando lado a lado com elas e desenvolvendo a capacidade de se adaptar rapidamente para enfrentar desafios e manter a alta performance do time mesmo diante de mudanças ou eventos imprevistos.

> **Que venham seus primeiros 60 metros, depois 220 metros e, em seguida, as primeiras milhas até cruzar um oceano em um voo de cruzeiro!**

> **Boa jornada, comandante!**

ÚLTIMA CHAMADA ANTES DA DECOLAGEM:
Afinal, você quer mesmo voar?

Este capítulo tem como finalidade um momento muito importante dentro de sua trajetória como líder: a reflexão sobre os passos que lhe trouxeram até aqui e a definição sobre o que gostaria de realizar em sua carreira no futuro.

> Para introduzir esta discussão, permita-me compartilhar uma passagem que me marcou muito no início da carreira, antes mesmo de entrar no mercado de trabalho.

Aos 19 anos, lembro-me que em breve seriam as eleições para o Diretório Acadêmico de nossa faculdade de Administração e Economia chamada Insper, na cidade de São Paulo. Como a faculdade existia há apenas dois anos, ainda não tínhamos festas, cervejadas, camisetas da faculdade ou outros símbolos que nossos amigos de cursos mais estabelecidos já desfrutavam.

A meu ver, era justamente o contexto perfeito para provocar mudanças, para que estudando, entre um livro e outro, pudéssemos promover outras atividades. Surgiu assim a iniciativa de criar o Diretório Acadêmico (D.A.) da faculdade. Juntei-me a minha irmã Juliana, que era minha veterana, e outros colegas para montar uma chapa e disputar as eleições.

E vencemos! Agora era hora de fazer acontecer e eu não tinha a menor experiência em "gerir" pessoas. Assim como Santos Dumont, eu estava sendo preparado para ser um técnico, tinha tido aulas de Contabilidade, Cálculo, Estatística, Sistemas de Informação e mesmo Economia..., mas até aquele momento, em meu segundo ano da faculdade, nada de "Gestão de Pessoas".

Por isso, o início da gestão do D.A. fui muito difícil para mim. Até ali eu achava que liderar era "mandar", era ter autoridade. Provavelmente, um reflexo da forma como nossos pais exercem a autoridade sobre nós... e, como meu pai foi militar, trazia em mim, muito arraigados, os valores daquele estilo de liderar vivenciado em minha casa, com disciplina, autoridade, exigência de excelência e, é claro, punição.

Ao longo daquele ano como líder de primeira viagem, tive diversos problemas de relacionamento com o grupo, que iniciou com 20 pessoas e terminou com 9. Ou seja, consegui desmotivar ou não engajar até o fim do mandato mais da metade dos voluntários.

E essa primeira aventura como gestor me trouxe a primeira grande lição:

Liderança não requer autoridade

(a definição de liderança será discutida a seguir), sobretudo se não houver uma hierarquia formal como em uma estrutura na área de voluntariado ou qualquer organização estudantil, pois é quando a liderança em si é especialmente importante, e preciosa, para fazer as pessoas chegarem a resultados.

> Como você vai ver no próximo capítulo, apesar de ser um ambiente pequeno e informal, esse tipo de atividade extracurricular, em que os jovens podem colocar em prática princípios de gestão, sem medo de errar ou ser "demitidos", tem 100% a ver com desenvolvimento de competências de liderança e amadurecimento profissional em si.

Falarei mais adiante sobre a importância da prática, mas já gostaria de compartilhar com você o princípio número um da Andragogia, ou a arte de fazer adultos aprenderem, segundo Malcolm Knowles[1]: diferentemente das crianças, adultos precisam saber, antes de começar, por que vão aprender algo e o que vão ganhar com isso – do contrário, não ficam motivados a aprender. Só para ilustrar, na época do D.A., eu tinha, quase semanalmente, que passar nas classes para dar recados aos alunos. Como não me saía muito bem nessa tarefa, procurei meu primeiro curso de "Técnicas de

Apresentação". Com o tempo, ampliei meus conhecimentos e habilidades, além da simples oratória, até entender que há diversas técnicas que abrangem a comunicação para um público mais amplo. Tanto que hoje ministro treinamentos da Enora Leaders sobre o tema. Mas, a princípio, foi a necessidade de resolver uma questão da vida real que me estimulou a querer me capacitar a falar melhor em público.

À frente do Diretório Acadêmico do Insper no 1º Fórum da Cidadania.

E então? Você viu, nesse curto caso de minha época de faculdade, exemplos dos tipos de "emoções" que podem vir à tona quando se tenta assumir um papel de líder: de um lado, a satisfação em concretizar um sonho e a aprendizagem acelerada; do outro, a sensação de insegurança por não saber bem lidar com pessoas quando é essencial engajá-las.

Gostaria de abrir aqui espaço para que você traga os seus momentos marcantes que o fizeram chegar até aqui. Quando contei o meu caso durante a faculdade, você lembrou de alguma história sua, em que teve que enfrentar um novo desafio, que gerou grande aprendizado ou que esteve em uma posição de liderança?

 **ATIVIDADE DE AUTOCONHECIMENTO**

Que tal fazer este exercício chamado "A Linha da Vida"? Comece pela posição que você está hoje e, de frente-para-trás, elenque ao menos 4 momentos em sua vida, pessoal ou profissional, que foram importantíssimos para você estar lendo este livro, interessado em aprimorar-se como um(a) Líder AdaptÁgil. Sem dúvida, se eu fosse fazer a minha linha da vida, colocaria a vitória nas eleições do Diretório Acadêmico. E quanto a você? Vamos investir um tempinho e traçar esta sua linha da vida? Marque a seguir 5 momentos de sua vida que realmente resultaram em grande desenvolvimento para você.

Capítulo 2

Linha da Vida

Quais serão os próximos passos?

data: _____
Lendo o livro FLAPS
Escreva nos quadros quais foram os momentos que marcaram sua vida para estar aqui, agora lendo este livro em busca de acelerar sua liderança.

data: _____

data: _____

data: _____

data: _____

 REFLEXÃO DE LÍDER

Então, minha pergunta a você é:

Você está disposto a voar? Quer realmente liderar mesmo sabendo que vai ter que lidar com novos desafios que hoje você não precisa enfrentar?

Para apoiar você nesta reflexão, peço para que preencha, mesmo que mentalmente, a tabela abaixo com suas considerações em relação a **aceitar o papel como líder**.

- *O que será positivo?*

- *Quais serão seus maiores desafios?*

CONCLUSÃO: QUERO LIDERAR?

☐ **SIM, pra já!**

☐ Talvez em outro momento?

☐ Não quero encarar este desafio.

> Se sua decisão for se tornar um novo e verdadeiro líder, comece selando um compromisso antes de passar para o próximo capítulo.

COMPROMISSO DO LÍDER

Eu, _____

me comprometo a _____

_____

Assinatura: _____

Data: _____

A ESCOLA DE PILOTOS:
Como se prepara um líder

=== **Capítulo 3** ===

Durante qualquer processo de aprendizagem, a **reflexão** é fundamental para impulsionar a retenção e aplicação prática daquilo que foi aprendido, ajudando a acelerar nosso desenvolvimento. Por este motivo, gostaria de iniciar este capítulo perguntando a você:

Qualquer um pode ser líder?

Reflita uns minutinhos para elaborar uma resposta sobre este ponto antes de prosseguir e deixe registrado aqui. Assim, será possível ver se sua opinião vai mudar até o final do livro.

☐ SIM

☐ NÃO

Esta pergunta é muito importante quando se fala em desenvolver um líder em uma organização. A ideia é levar você a chegar a uma resposta por si mesmo. Mas, para isso, nada mais justo do que proporcionar uma ideia mais clara sobre o que é liderança de fato e qual seu significado.

Você já parou realmente para pensar o que é liderança para você? Acho que vale a pena investir um breve tempo para explorar sua predefinição antes de ir adiante:

Liderança para mim é: _____
_____
_____

Na verdade, as definições são inúmeras. Ao buscar aprofundamento no tema, encontrei diversas explicações, já que cada professor com quem tive aula ou cada livro que li possuía uma forma particular de determinar seu significado:

Liderança é o ato de liderar os outros. (Dicionário)
Ótimo, esclareceu muito...

Liderança é um nível hierárquico.
Bem, realmente pode ser, quando nos referimos a gestores somente pelo cargo que ocupam, quando dizemos: "a liderança da empresa".

Liderança é a arte de influenciar pessoas
Sem dúvida tem a ver com isto... mas, como assim "arte"?

Liderança é a qualidade de liderar
Meu Deus... isso sim é girar em círculos!

Liderança é um estado mental[1]
Então está fácil. Largo tudo, vou meditar no Tibete e viro líder... É isso?

Se analisarmos, tudo isso é, sim, liderança. No entanto, ao treinar milhares de pessoas no tema e tentar buscar sua essência, vi que as infindáveis conceituações, na verdade, fazem o processo de aprendizagem para desenvolver indivíduos como líderes ficar mais confuso do que simples. Diria até um pouco "místico".

LIDERANÇA PARA MIM É ISTO

Black Eyed Peas - I Gotta Feeling (live with Oprah) - Youtube

Assista:

https://youtu.be/oX6oSs7FHs0

No dia 8 de setembro de 2009, para a comemoração do 24º aniversário do programa da apresentadora americana Oprah Winfrey, um grupo de cerca de 20 mil pessoas participou de um dos maiores *Flash Mobs* (*quando um grupo grande de pessoas subitamente se reúne e passa a executar uma coreografia sem planejamento*) da história na cidade de Chicago (EUA). Foi um sucesso enorme! Conduzida pelo grupo Black Eyed Peas, a multidão deixou a apresentadora literalmente boquiaberta[2] – aliás, claramente, no início parecia que ela não estava entendendo nada.

A questão que ficou para mim, desde a primeira vez que vi o vídeo, foi: o que moveu aquela multidão a perder um dia de trabalho em plena terça-feira e iniciar algo com outras pessoas às quais não conhecia, muitas sem habilidade alguma para dançar ou sem nunca ter participado de algo do gênero? E o mais espantoso: <u>sem receber nenhum centavo para isso</u>, nem ter um chefe comandando?

A resposta é justamente: **LIDERANÇA**. Há décadas, Oprah consegue mobilizar gente do mundo todo a fazer mais, a se superar, por sua capacidade de inspirar e exercer influência sobre um enorme grupo de pessoas, a ponto de ser classificada por vários anos seguidos como a celebridade mais poderosa de todo o mundo pela revista *Forbes*[3].

"Liderança não é ter uma personalidade magnética. Também não é "fazer amigos e influenciar pessoas" – isto é lindo! Liderança é levantar a visão das pessoas a níveis elevados, é aumentar o desempenho das pessoas para um padrão mais elevado, é a construção de uma personalidade além de suas limitações."

Peter Drucker

Liderança, assim como voar, tem uma função

Como define o grande mestre Peter Drucker[4], considerado o homem que "inventou a gestão" ou o maior pensador de negócios do século XX, liderar é influenciar a visão das pessoas para níveis mais elevados, aumentando o próprio nível de desempenho das pessoas. Ou seja, liderança tem uma função! Atingir RESULTADOS! Resultados melhores e maiores.

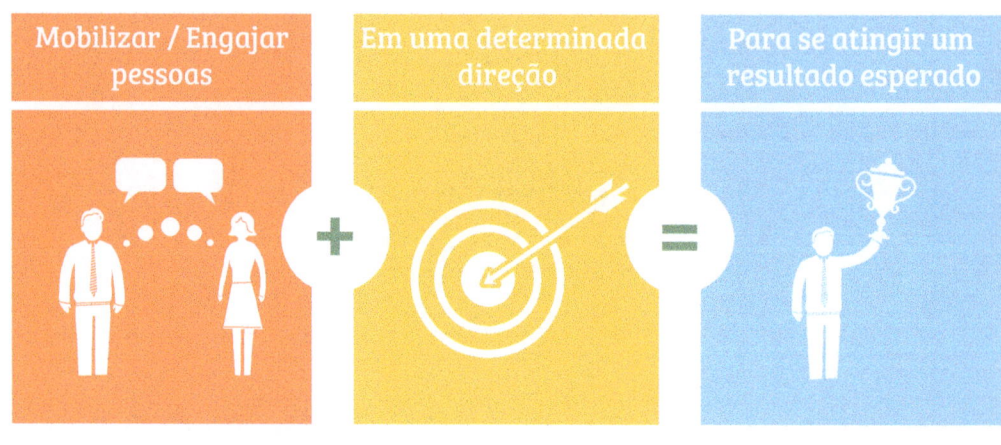

No entanto, como fazer isso acontecer com agilidade? Nos treinamentos, sobretudo com participantes mais técnicos, como engenheiros ou contadores, por exemplo, muitas vezes percebia que apenas dizer que deveriam influenciar pessoas não bastava, era preciso oferecer uma base concreta, um passo a passo, que chamei de "PROCESSO DE LIDERANÇA ADAPTÁGIL."

Quando você deseja realizar algo, a princípio tudo o que tem de fato são os resultados que espera, seu objetivo maior, como, no caso de Santos Dumont, fazer o homem voar ou, no meu exemplo, tornar o ambiente da faculdade um pouco mais leve com outras atividades além da leitura. E, para chegar ao que você se propõe, claro que pode tentar fazer tudo sozinho, mas, se quiser acelerar o processo, o ideal é reunir outras pessoas para executar o trabalho em equipe, atingindo, muitas vezes, resultados mais efetivos.

LIDERANÇA é um processo para atingir resultados

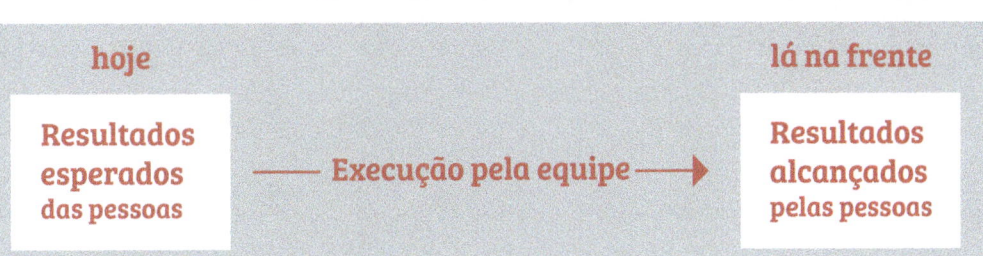

hoje		lá na frente
Resultados esperados das pessoas	— Execução pela equipe →	Resultados alcançados pelas pessoas

Tendo isso em conta, a definição de liderança adotada para este livro é:

"LIDERANÇA É O PROCESSO DE MOBILIZAR PESSOAS EM UMA DETERMINADA DIREÇÃO PARA SE ATINGIR UM RESULTADO ESPERADO".

A escola de pilotos: Como se prepara um líder?

Mobilizar, no sentido de engajar, de juntar pessoas para uma causa ou um fim. Porém, não adianta mobilizar as pessoas se elas não souberem para onde ir. Se você apenas disser: "Pessoal, vamos?". Então, as pessoas vão olhar para você..., você vai olhar para elas e nada vai acontecer. O que necessariamente virá é a réplica: "Mas, para onde?". Se você não tiver a resposta, não souber para onde, é bem provável que, na segunda vez que tentar mobilizá-las com seu "Pessoal, vamos?", elas não deem mais atenção a você.

Outro ponto importante é definir direção. Ou seja, quando você explica "como" vão chegar a um determinado resultado, qual o caminho a seguir.

Lembrando que, se houver imprevistos no meio da "viagem", o líder deve ter a capacidade de se adaptar rapidamente às novas condições, mantendo o time no rumo para alcançar os resultados.

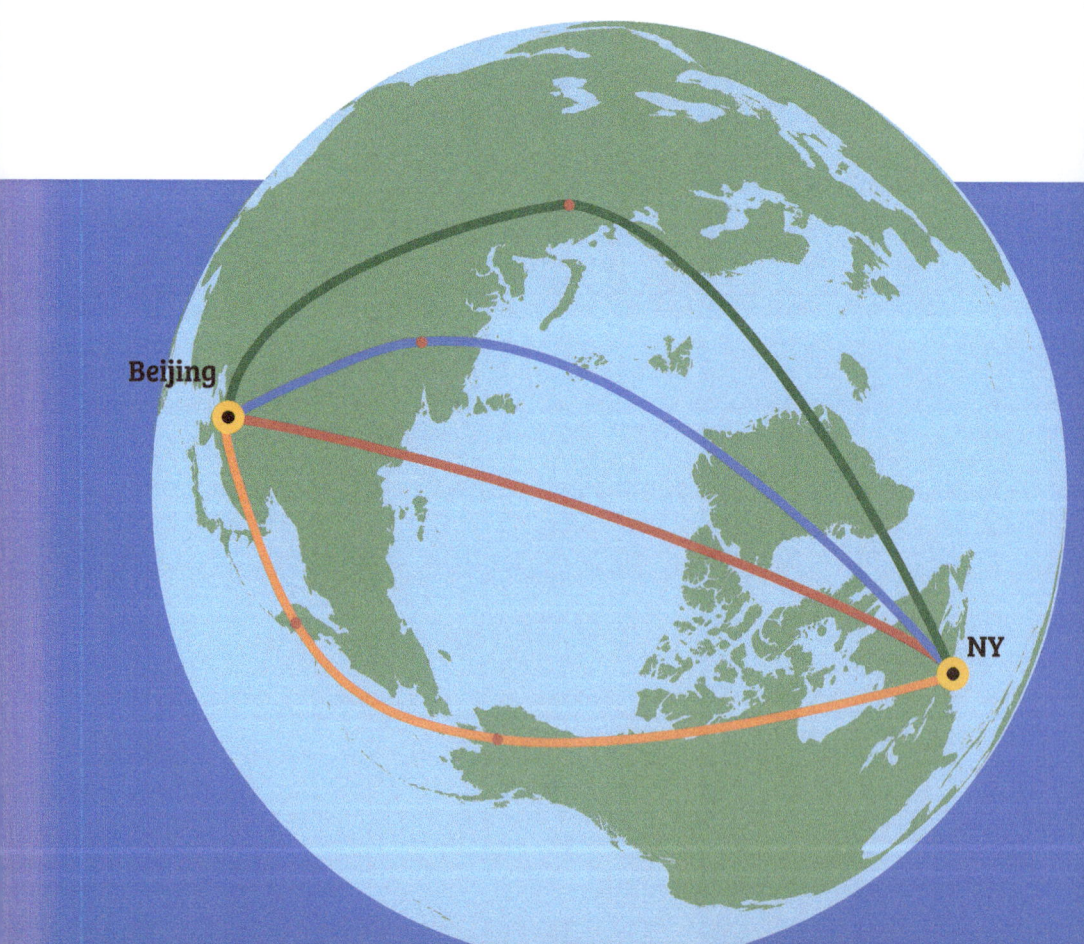

Por exemplo, quando um piloto tem que traçar a rota para ir de Nova York a Pequim, existem diversos trajetos possíveis. Ele pode ir via Ártico, fazendo um caminho mais curto e gastando menos combustível, ou via Europa, fazendo uma conexão e embarcando mais passageiros. A segunda opção, apesar de ser bem mais longa, tem a vantagem de ser mais rentável e menos arriscada por permitir pousos de emergência durante o voo caso aconteça algum problema com a aeronave.

Se você deixar o "como" a critério das pessoas, elas certamente vão seguir algum caminho e vão atingir, sim, resultados, mas de uma forma inapropriada ou não aqueles que você vislumbrou. E isso, lá na frente, poderá gerar um grave problema a você no papel de líder responsável. Imagine que uma companhia chegou à meta de lucro, porém os clientes ficaram demasiadamente insatisfeitos com o serviço prestado, portanto não vão mais voltar a comprar da empresa. Outro exemplo: uma companhia fecha um grande contrato com uma organização estatal, que vai proporcionar um crescimento de 15% em faturamento em um determinado ano, mas o negócio foi fechado com práticas ilícitas. Assim, há o risco de todos os diretores envolvidos serem presos, de a empresa ser multada ou até fechada futuramente.

Em resumo:
Liderança é fundamental não apenas para se atingir, mas também para sustentar resultados.

ALÇAR VOO
e sair de sua zona de conforto para ser um líder AdaptÁgil

Capítulo 4

Voar é sair da segurança da pista para subir a níveis mais elevados. É livrar-se de sua zona de conforto e superar seus desafios. Como você vai ver neste capítulo, essa capacidade é especialmente importante para quem almeja ser líder em um mundo marcado por mudanças contínuas, como o atual, que exige um grau de adaptabilidade e flexibilidade não só para compreender as situações mais rapidamente, como também para ser capaz de ajustar suas estratégias de gestão na mesma velocidade das mudanças, mantendo um ritmo ágil e competitivo em sua liderança.

Há dez anos, tive a primeira experiência formal como líder de um time em uma empresa. Assim que saí da faculdade, fui diretamente participar do Programa de Trainees, da Whirlpool (Brastemp, Consul), em São Paulo. O programa de desenvolvimento de trainees era estruturado com aulas presenciais, rotações nas áreas e sessões com um mentor – cada trainee tinha o seu *(veja no próximo capítulo como se prepara um líder)*. Para minha sorte, meu mentor acabou sendo justamente meu ex-chefe, do meu período como estagiário na própria Whirlpool, Marcos Negreiros, hoje um grande amigo a quem ainda recorro quando preciso de conselhos.

A experiência dos meus sonhos na época era me tornar um trainee e, logo depois, ser efetivado como gerente! Doce ilusão... Na verdade, o programa de trainees do qual participei, com duração de um ano, tinha o propósito de ser um acelerador de carreira, com ênfase para o nível gerencial *(veja Carreira em Y no próximo capítulo)*. Mas, em uma corporação como a Whirlpool, um jovem de 23 anos se tornar gerente é virtualmente impossível. Isso porque a companhia exige para o cargo um grau de maturidade, experiência, vivência e competências que eu ainda não tinha desenvolvido naquela época, por mais que tivesse a experiência *(cheia de falhas, como já relatei)* como gestor no D.A. da faculdade. Eram esferas muito distintas.

Capítulo 4

Na Whirlpool, como trainee na área de Marketing em 2004.

Ainda assim, quando o programa chegou ao fim, recebi a proposta para me tornar analista na área de Marketing, onde eu havia feito minhas duas rotações de seis meses durante o programa. Todos os trainees foram efetivados como analistas – ninguém em nível de liderança. Então, no auge de minha imaturidade, devo admitir (*maturidade profissional será discutida adiante*), declinei a oferta e fui me arriscar.

Eu havia passado em um processo seletivo da maior organização mundial de estudantes, chamada AIESEC, uma organização sem fins lucrativos, **administrada por jovens** do mundo todo. É a **única** instituição que **desenvolve liderança** responsável e empreendedora por meio de **intercâmbios** realizados **em parceria com** organizações, instituições e negócios ao redor do mundo, nos mais de 120 países e territórios onde está presente[1]. Vi na AIESEC a oportunidade de ter uma experiência profissional fora do Brasil, já que ela aplica um processo mundial de *matching* – algo como um "casamento" de vagas abertas – entre empresas que são apoiadoras da organização e os chamados "trainees da AIESEC", como era o meu caso, após passar por seu processo seletivo.

Daí, comecei a aplicar para as vagas abertas no sistema, com o apoio do AIESECer e do meu grande amigo Nicola Azevedo – o "Nick", que é um gênio e criou planilhas mirabolantes em Excel para me apoiar a encontrar vagas com meu perfil (detalhe: não à toa, ele fez seu MBA no MIT, após passagens pela Apple, Facebook e Microsoft).

Diante da perspectiva de ter que me submeter a muitas entrevistas, resolvi concorrer à única vaga com a descrição perfeita do que eu desejava na época: responder diretamente para o presidente, em uma empresa pequena, em crescimento, na área de tecnologia... Tudo de bom! Exceto uma coisa: a empresa ficava do outro lado do mundo. Lá, onde o vento faz a curva, em um país formado por 7 mil ilhas, no Oceano Pacífico, chamado Filipinas.

Sem peso na consciência – afinal, qual a probabilidade de alguém ser selecionado para trabalhar nas Filipinas? –, eu me candidatei para a entrevista. Lembro que me ligaram de madrugada, já que Noli Binay, a gerente de RH da empresa com a vaga aberta, não sabia que a diferença de fuso horário era de 11 horas.

Bom, respondi às pergutas dela durante uma hora, na calada da noite. Ao terminar a entrevista, ainda me perguntou: "Você pode falar com o presidente agora?". Respondi: "Se eu puder escolher, acho melhor deixarmos para um horário melhor. Afinal, aqui é madrugada e eu vou para o trabalho cedo amanhã". E ela nem aí: "Espere um pouquinho". De repente, ouvi uma voz masculina na linha: "Hello, Joao?". Era o presidente da empresa. Essa foi a primeira vez que falei com a pessoa que mais me ensinou liderança em toda minha vida, Mike Cardenas. Ele era um ex-executivo global da IBM que, depois de sair da empresa, fundou a Headway em Manila, capital das Filipinas.

Depois de conversarmos por mais ou menos 15 minutos, Mike me fez a espantosa pergunta: "E aí, você vem para cá?". Comecei a gaguejar. Imagine, há poucos dias eu – *por ignorância e desconhecimento* – nem sabia onde ficavam as longínquas Filipinas e agora estava sendo perguntado se iria morar lá?! "Ainda estou em outros processos, precisaria pensar um pouco", enrolei. E Mike, que é um gênio da liderança – e dominando os primeiros quatro passos do Processo de Liderança (L1 a L4) descritos neste livro – disse uma frase que nunca vou esquecer: "Joao, você conhece aquela série, Star Trek?". Respondi forçando o raciocínio às 3 horas da manhã: "É aquela do Spock?". "Sim, essa mesma", e acrescentou com eloquência: "Em qualquer outra empresa grande e famosa que você for, em um país moderno, nos Estados Unidos ou Europa, você só será mais um coadjuvante, outro membro da tripulação da Enterprise que ninguém sabe o nome. A diferença é que aqui você será o **Capitão Kirk**."

Capítulo 4

Agora, pense naquele jovem frustrado em sua expectativa de obter uma vaga de liderança na multinacional no Brasil, faminto por decolar sua liderança, visualizando uma nave interestelar sendo colocada em sua mão. Simplesmente brilhante! Em poucos minutos de conversa, Mike havia conseguido traçar meu perfil (L2), construir confiança (L3) e ainda compartilhar sua visão (L4) (*esses são alguns dos passos do Processo de Liderança do FLAPS!, que você vai conhecer nos próximos capítulos*), fazendo com que eu literalmente me visse em ação na minha próxima função.

Desligamos o telefone e a proposta veio em uma semana, também de madrugada, pela Noli, com detalhes da viagem e do salário – correspondia a um quarto do que eu ganhava no Brasil como trainee. Saí do meu quarto espantado, branco... Na sala, encontrei meu irmão André (*o caçula da família que estava morando comigo em São Paulo*) e disse: "Acho que fui contratado". Ele me deu os parabéns e eu acrescentei: "Mas é nas Filipinas". Ele foi a primeira pessoa que exclamou o que eu ouviria toda vez dali para frente: "Massa²... mas onde fica isso?!". Três meses depois, tirei esta foto de dentro do avião. Eu havia chegado ao outro lado do mundo para a maior experiência de formação da minha vida em termos de aceleração de liderança.

Aos 23 anos, com a oportunidade que Mike havia me dado, comecei a comandar uma das operações da Headway como diretor de Marketing e Vendas. Partindo de uma experiência profissional sem gerenciar times no Brasil, passei a ter que lidar com uma equipe de seis pessoas, sem familiaridade com a cultura nem com os produtos que tinha que promover. Foi lá, nas Filipinas, que assumi novas responsabilidades que desconhecia, como a de tomar decisões sobre outras pessoas, essencial em um cargo de gestão: contratei o primeiro funcionário para meu time e, pela primeira vez, também demiti alguém do meu time – apenas três meses depois da contratação, entre outras atribuições do novo papel. Mas, como essa história é longa, vou deixá-la para o próximo livro do FLAPS!, no qual abordaremos mais profundamente essa parte da gestão de pessoas.

ACELERANDO SUA FORMAÇÃO COMO LÍDER

Essa experiência das Filipinas serviu para acelerar uma série de habilidades que eu teria demorado mais para aprender se tivesse ficado em um entorno familiar, mais conhecido. A explicação para isso é científica. De acordo com a neurociência, nosso cérebro é um órgão preguiçoso! Ele gosta de se poupar. Então, quando ele vê algo repetidas vezes, acaba escolhendo atalhos para gastar cada vez menos energia. Assim, ao reconhecer aquilo que já viu muitas vezes, não se esforça para processar aquele evento novamente.

Por essa razão, experimentar novas situações faz você estimular o cérebro a "trabalhar" e a enxergar as coisas de modo diferente. Ou seja, altera sua percepção, abrindo oportunidades para mudar e aprender. Como diz o neurocientista Gregory Burns: "A novidade liberta o processo perceptivo das algemas da experiência passada e força o cérebro a fazer novas avaliações. Novidade equivale a aprendizado"[3].

> Você sabia, por exemplo, que uma simples mudança de ambiente é o que basta para estimular sua percepção para formar novas concepções? Por isso, viajar para outro país (mudança mais drástica!) é tão eficaz para estimular seu cérebro a criar novas sínteses e, consequentemente, a tirar você da sua zona de conforto. Exatamente como ocorreu comigo nas Filipinas.

Mas é claro que não é preciso ser tão radical para acelerar seu aprendizado. Uma mudança em um ponto de vista já pode surtir o mesmo efeito. Você aumenta as suas possibilidades de se aprimorar toda vez que se confronta com algo que nunca fez antes: um novo projeto ou algo fora de sua área de especialidade, por exemplo. Basicamente, com novas experiências.

Mas, por que isso é tão importante para ser um grande líder? Bem, isso tem a ver com o contexto do mundo atual, com o qual você vai se deparar quando estiver atuando nessa função. Ou seja, o atual ambiente de negócios que vou tratar a seguir.

LIDERANDO EM UM MUNDO VUCA

Um mundo VUCA é aquele que é volátil, incerto, complexo e ambíguo. V.U.C.A. é a sigla que foi criada pelo exército dos Estados Unidos, na década de 1990, para descrever a dinâmica do mundo atual e ajudar a enfrentar situações marcadas por mudanças e desafios. Mais tarde, o termo se popularizou e foi adotado por líderes organizacionais para descrever o ambiente de negócios caótico, turbulento e em rápida transformação, tornando-se o contexto que hoje é considerado como o "novo normal"[4].

O que significa VUCA

V	**Volatility (Volatilidade)**	Refere-se à natureza volúvel e dinâmica da mudança, bem como à velocidade das forças inconstantes que provocam a mudança e seus catalisadores.
U	**Uncertainty (Incerteza)**	Refere-se à falta de previsibilidade, às probabilidades de surpresa e ao senso de perplexidade e hesitação na compreensão das questões e eventos.
C	**Complexity (Complexidade)**	Refere-se às múltiplas forças e questões indistintas e ao caos e confusão que cercam o ambiente organizacional.
A	**Ambiguity (Ambiguidade)**	Refere-se ao estado de turvação da realidade, ao potencial de erros de leitura e aos significados mesclados das circunstâncias; à confusão de causa-e-efeito.

Fonte: "Get There Early: Sensing the Future to Compete in the Present", Bob Johansen, 2007.

Para navegar com sucesso no espaço deste mundo VUCA, muitos especialistas sugerem que líderes desenvolvam um conjunto de conhecimentos e experiências para ativar as habilidades essenciais (mentais e emocionais) necessárias para atuarem com eficiência neste contexto, entre elas: autoconsciência, prontidão, capacidade de adaptação, resiliência e perseverança (*você vai ver mais sobre isso nos próximos capítulos e também na segunda parte do FLAPS!*).

Além disso, em ambientes VUCA, planos rígidos ficam desatualizados rapidamente. É por essa razão que você, como líder, deve desenvolver duas capacidades em especial: a de se adaptar rápido e a de acelerar seus aprendizados. Isso quer dizer que, à medida que entramos em um mundo permanentemente VUCA, para ser um líder bem-sucedido você vai ter que atuar igualmente de forma dinâmica, adquirindo a visão, a compreensão, a clareza e agilidade para inovar e aproveitar ao máximo as oportunidades que esse contexto apresentar.

> De acordo com Bob Johansen[5]: "O que funciona no mundo VUCA não é somente ter uma grande clareza sobre onde você está indo (*isso é básico! – no capítulo 6, esse ponto será tratado em detalhe*), mas grande flexibilidade sobre como chegar lá. O mundo VUCA do futuro vai ser formidável e repleto de oportunidades. A única forma de enfrentar seus riscos será você adquirir agilidade para se moldar de acordo".

Uma pesquisa revelou que as organizações cujos líderes têm "capacidades VUCA" em abundância são 3 a 5 vezes mais propensas do que as organizações com baixa "capacidade VUCA" de ter uma liderança robusta, isto é, líderes prontos para intervir e enfrentar desafios futuros. Além disso, as "capacidades VUCA" se conectam a resultados financeiros. As principais organizações com alta performance financeira são três vezes mais propensas a ter líderes "VUCA-capazes" do que as com baixa performance[6].

A CAPACIDADE DE SE ADAPTAR RAPIDAMENTE

Você deve estar pensando: "Mas o que devo fazer para me tornar um líder assim?". Calma! No momento, estou apenas introduzindo a você alguns aspectos essenciais para ser um líder eficaz. Então, antes de tudo, é bom já entender a importância de se autoajustar com agilidade, em outras palavras, de se adaptar rapidamente. É como um piloto que, por mais que tenha treinado os procedimentos e planejado seu plano de voo, tem que estar preparado para imprevistos e mudanças no meio da trajetória. Especialmente se quiser dominar com eficácia um ambiente dinâmico como o de hoje, que demanda atualizações em tempo real na forma de atuar do líder.

Então, lembre-se que, para desenvolver essa capacidade de reajustar suas estratégias, principalmente aquelas que envolvem a interação com a equipe, será essencial se manter aberto para experimentar e aprender coisas novas constantemente.

Os autores do artigo "**A Empresa Autoajustável**"[7], da Harvard Business Review (junho 2015), afirmam que, de fato, hoje a mudança deve ser perseguida. Ou seja, o líder efetivo não é aquele que apenas reage bem às mudanças, mas aquele que também vai em busca de renovação constante.

O SURGIMENTO DO Líder AdaptÁgil

O Líder AdaptÁgil é flexível, conectado e responde rapidamente. Ele tem duas capacidades principais que o diferencia de um líder comum: 1) Ele consegue compreender os diferentes perfis, estágios de desenvolvimento e maturidade dos membros de seu time e consegue adequar sua forma de abordagem de cada um deles para extrair sua melhor performance 2) Ele compreende que o mundo e o ambiente em que sua organização se encontra está em constante transformação, e dessa forma, avalia os impactos que estas mudanças tem em seu negócio e sobre as pessoas de sua equipe, adaptando sua visão e comunicação de forma à nova situação, identificando continuamente as melhores formas de engajar as pessoas a desempenhar com excelência diante destas novas condições.

Neste ambiente de incerteza e mudanças constantes, criei e passei a trabalhar com o conceito do líder ou gestor AdaptÁgil – aquele que mobiliza as pessoas de forma adaptada (adapt) ao colaborador ou ao time, respondendo mais rapidamente (ágil) às mudanças de cenário ou de gestão. Sua eficácia se deve à capacidade de compreender quais os estímulos que mais funcionam para pessoas de perfis diferentes e por seu contato constante com o time. Dessa forma, consegue não só detectar as mudanças e remover obstáculos para que os colaboradores obtenham maior performance, como também revisar os planos para que sejam mais precisos e diretos, entregando maior valor ao negócio em menos tempo.

> O líder AdaptÁgil é aquele que compreende o ambiente em mudança no setor da sua organização e protege a geração de valor da empresa por meio da vigilância e da prontidão para se adaptar rapidamente, identificando continuamente as melhores formas de engajar as pessoas a desempenhar com excelência diante de novas situações.

MANIFESTO ÁGIL

Em meados da década de 90, uma parte dos programadores de software tornou-se altamente reativa aos métodos que eram utilizados até então, baseados em muitos detalhes e micro gerenciamento de cascatas e cascatas de detalhes do cronograma de implementação do desenvolvimento do programa.

> Finalmente, em Novembro de 2001, um grupo de jovens se reuniu nas montanhas do estado americano de Utah e escreveu o que chamaram de Manifesto Ágil, voltando-se a 4 princípios que revolucionariam toda a indústria de programação, conforme segue:

Fonte: Agile Manifesto org
http://agilemanifesto.org/history.html

Manifesto para Desenvolvimento Ágil de Software

Estamos descobrindo maneiras melhores de desenvolver software, fazendo-o nós mesmos e ajudando outros a fazerem o mesmo. Através deste trabalho, passamos a valorizar:

- Indivíduos e interações mais que processos e ferramentas
- Software em funcionamento mais que documentação abrangente
- Colaboração com o cliente mais que negociação de contratos
- Responder a mudanças mais que seguir um plano

A metodologia que ficou mais famosa para a implementação da gestão ágil de programas de computador chama-se Scrum. No segundo livro em que abordarei a Gestão AdaptÁgil, irei abordar demonstrar como você poderá aplicar os conceitos desta metodologia em seu dia a dia como gestor de pessoas. Por hora, gostaria de compartilhar com você a origem do Scrum exposto por um de seus criadores, Jeff Sutherland[8], em seu livro *Scrum - a arte de fazer o dobro de trabalho na metade do tempo*:

"O motivo por que um novo modo de fazer as coisas era imperativo e porque uma parte tão grande de empresas o adotou pode ser explicado, em parte, pelo estado deplorável em que o desenvolvimento de software se encontrava. Os projetos quase sempre estavam atrasados, acima do orçamento e, em geral, simplesmente não funcionavam. E isso não acontecia porque as pessoas eram burras ou gananciosas, mas sim pelo modo como pensavam no trabalho. Elas insistiam no método em cascata, insistiam que tudo podia ser planejado com antecedência e, até mesmo, que as coisas não mudariam durante um projeto de multicamadas. Isso é a mais completa loucura."

E não é isso que você vê na gestão do dia a dia? Muitas vezes as mudanças acontecem e as pessoas, mesmo sendo habilidosas no que fazem, simplesmente não conseguem responder rapidamente ao ambiente, sobretudo por seu líder não dar uma nova direção, uma nova visão, não ouvir os feedbacks da equipe e tomar uma ação rapidamente.

---

[8] Fonte: Sutherland, Jeff. *Scrum: A arte de fazer o dobro de trabalho na metade do tempo.*

Por ser uma metodologia ágil concebida para imprimir energia, foco, clareza e transparência na execução de projetos, o SCRUM é particularmente útil quando não se pode planejar muito à frente. Quando implementado de forma adequada o SCRUM permite a:

- Aumentar a velocidade da execução.
- Alinhar objetivos individuais e organizacionais.
- Criar uma cultura baseada em alta performance.
- Obter informação contínua e consolidada sobre a performance em todos os níveis.
- Aprimorar o desenvolvimento individual.
- Favorecer a geração de valor.

Claro que o SCRUM, ainda que bastante pertinente, é apenas uma entre as muitas práticas que podem apoiar a Liderança AdaptÁgil. Afinal, desenvolver "adaptagilidade" envolve vários outros aspectos, como você vai ver nos próximos capítulos. A ideia é que você, como líder, possa entender melhor como desenvolver essa capacidade de reajustar suas estratégias de interação com a equipe, a fim de enfrentar com sucesso ambientes dinâmicos e complexos.

REFLEXÃO DE LÍDER

1. **Lembre-se de algum líder que conseguia obter resultados em condições difíceis e liste o que ele fazia de diferente, quais as características mais marcantes desse exemplo?**

2. Pense em uma situação ou questão complicada e tente solucioná-la de um novo ponto de vista. Depois, tente explicar sua solução para alguém.

3. Dê uma nota de 1 a 10 para avaliar quanto você é:

Curioso:

☆1 ☆2 ☆3 ☆4 ☆5 ☆6 ☆7 ☆8 ☆9 ☆10

Gosta de experimentar:

☆1 ☆2 ☆3 ☆4 ☆5 ☆6 ☆7 ☆8 ☆9 ☆10

Se empolga com atividades novas:

☆1 ☆2 ☆3 ☆4 ☆5 ☆6 ☆7 ☆8 ☆9 ☆10

Caso tenha se dado uma nota alta (acima de 6) em ao menos 2 de 3 dos itens acima, você já tem a matéria-prima para se tornar um Líder AdaptÁgil. Siga com confiança nas próximas páginas, quando iremos mostrar o passo a passo para que você se torne um deles.

PLANO DE VOO:
Passo a passo para acelerar sua liderança AdaptÁgil

Capítulo 5

Para acelerar seu desenvolvimento como líder AdaptÁgil, antes de mais nada é importante que você tenha uma visão integral desse processo, porque isso facilita a construção de um entendimento próprio sobre sua liderança. Assim, neste capítulo, apresento a você a perspectiva geral da estrutura de desenvolvimento da Liderança AdaptÁgil, organizada em um passo a passo que vai ajudar você a assimilar os principais conceitos dessa função de forma mais efetiva e integrada.

Liderança tem uma "carreira"

Escolher liderar também é escolher uma trilha de carreira. Há algumas décadas, se o funcionário quisesse progredir na carreira, sua única opção seria começar como estagiário, talvez conquistar a posição de trainee, tornar-se um assistente ou operador até, finalmente, ser um analista. E nessa posição, ele poderia permanecer por décadas, já que sua única forma de crescer na carreira seria a promoção para uma posição de gestão. É por esse motivo que milhares de profissionais talentosos, com grandes habilidades técnicas, frequentemente, acabam se tornando maus gestores, por não saber como lidar com pessoas (*como você verá mais à frente em perfil comportamental dos membros da equipe*).

O caso clássico do ótimo técnico que se torna um líder fraco

Por exemplo, Pedro era um grande operador na linha de produção. Por conseguir produzir o maior número de peças por minuto de todas as fábricas de uma montadora, foi escolhido para ser supervisor, justamente por sua habilidade em produzir mais. Ao ter que gerenciar outras pessoas para que realizassem o trabalho tão bem quanto ele, percebeu que não era tão simples "transferir" para o time a capacidade de produzir em um ritmo mais acelerado. Na verdade, era preciso ajudar a desenvolver essa competência nas pessoas. Só que Pedro, quando percebia que as pessoas daquela linha de montagem não conseguiam desempenhar direito, na maioria das vezes se punha a fazer por elas, para mostrar "como era fácil", em vez de usar seu tempo para capacitá-las. Ou seja, nem ele fazia o seu trabalho (gerenciar as pessoas), nem deixava os outros trabalhar direito (desenvolver competências para desempenhar melhor). O resultado foi a desmotivação do time e Pedro, o excelente técnico, acabou sendo demitido como um péssimo supervisor de linha.

Afinal, Pedro não deveria ter aceitado a vaga de supervisão quando ela surgiu? Em uma empresa com a chamada "carreira linear", provavelmente não haveria alternativa se ele quisesse mais prestígio ou simplesmente ter um salário maior e prover mais conforto para sua família. Ao longo do tempo no contexto organizacional, muitas empresas começaram a se dar conta do que acontecia com especialistas talentosos quando assumiam uma função gerencial. Então, para não perder seus ótimos técnicos, criaram, paralelamente à trilha de gestão, a trilha de carreira técnica. Esse novo formato de trilha ficou conhecido como "Carreira em Y", conforme mostra a imagem abaixo[1]:

Mapa das fases de carreira em Y
Na perspectiva técnica e de gestão

Trilha técnica — T
Trilha de gestão — G

Conselheiro
Mestre
Consultor
Coordenador
Especialista
Supervisor
Gerente
Diretor
Presidente
Analista
Assistente
Operador
Trainee
Estagiário

Legenda:
- Trilha inicial
- Trilha T - Técnica
- Trilha G - Gestão
- Passagem / Função
- Integração

Adaptado de Maria Candida Della Libera. Revista *BSP*, Julho de 2011.

No formato em Y, o profissional técnico pode ter o mesmo salário, benefícios e prestígio que outro profissional que decide seguir uma carreira de gestão. Veja abaixo um exemplo real de carreira em Y dentro da empresa química Sherwin-Williams[2]:

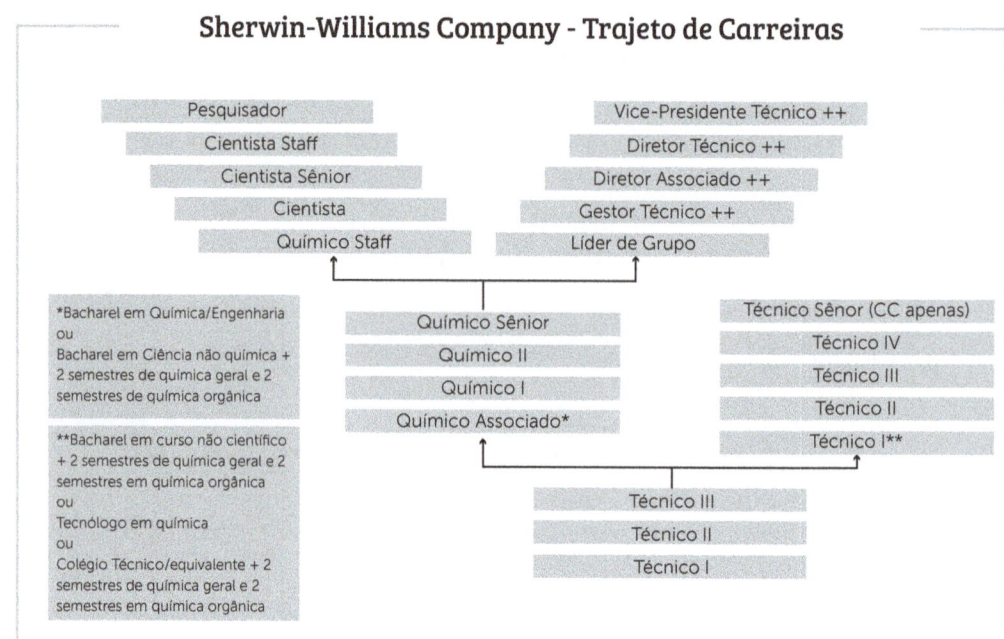

Sherwin-Williams Company - Trajeto de Carreiras

Pesquisador		Vice-Presidente Técnico ++
Cientista Staff		Diretor Técnico ++
Cientista Sênior		Diretor Associado ++
Cientista		Gestor Técnico ++
Químico Staff		Líder de Grupo
*Bacharel em Química/Engenharia ou Bacharel em Ciência não química + 2 semestres de química geral e 2 semestres de química orgânica	Químico Sênior	Técnico Sênor (CC apenas)
	Químico II	Técnico IV
	Químico I	Técnico III
	Químico Associado*	Técnico II
**Bacharel em curso não científico + 2 semestres de química geral e 2 semestres em química orgânica ou Tecnólogo em química ou Colégio Técnico/equivalente + 2 semestres de química geral e 2 semestres em química orgânica		Técnico I**
	Técnico III	
	Técnico II	
	Técnico I	

Fonte: adaptado do site da empresa Sherwin Williams (traduzido do inglês).

Lembro-me de que uma vez, em visita à Refinaria de Paulínia da Petrobras (Replan), enquanto discutíamos as necessidades de formação da equipe de líderes da empresa, um gestor de pessoas comentou sobre as dificuldades que ele tinha em fazer as pessoas se interessarem pela carreira de gestão, justamente porque lá os salários eram equivalentes aos da carreira técnica, até com muito mais responsabilidades.

Conhecendo melhor a carreira de líder

Agora, gostaria de explorar mais especificamente o momento de carreira de quem assumiu há pouco tempo o papel de gestor ou almeja fazer essa passagem em breve. De fato, essa é, provavelmente, a mudança mais relevante de toda a carreira de um líder, pois estabelece marcas que vão repercutir profundamente em sua forma de comandar. Mas antes de ajudar você a se preparar para este desafio, quero esclarecer melhor sobre a carreira em liderança.

Capítulo 5

Um bom conceito que ajuda a entender isso melhor é o do livro *Pipeline de Liderança*[3], de Ram Charan, Stephen Drotter e James Noel, no qual apresentam um modelo para desenvolver líderes em seis passagens, mostrando os desafios que os profissionais têm de enfrentar em cada nível de liderança dentro de uma organização.

Provavelmente, você está na primeira passagem, deixando de ser líder de si mesmo, quando você executa o trabalho sozinho e é cobrado por adotar uma postura profissional, estabelecendo confiança, conhecendo o negócio e entregando resultados de forma eficiente apenas com base nas suas habilidades individuais. Mas, na função de gestor, você vai precisar aprender como obter o compromisso das pessoas do time para cumprir os objetivos da sua área.

Pipeline de liderança

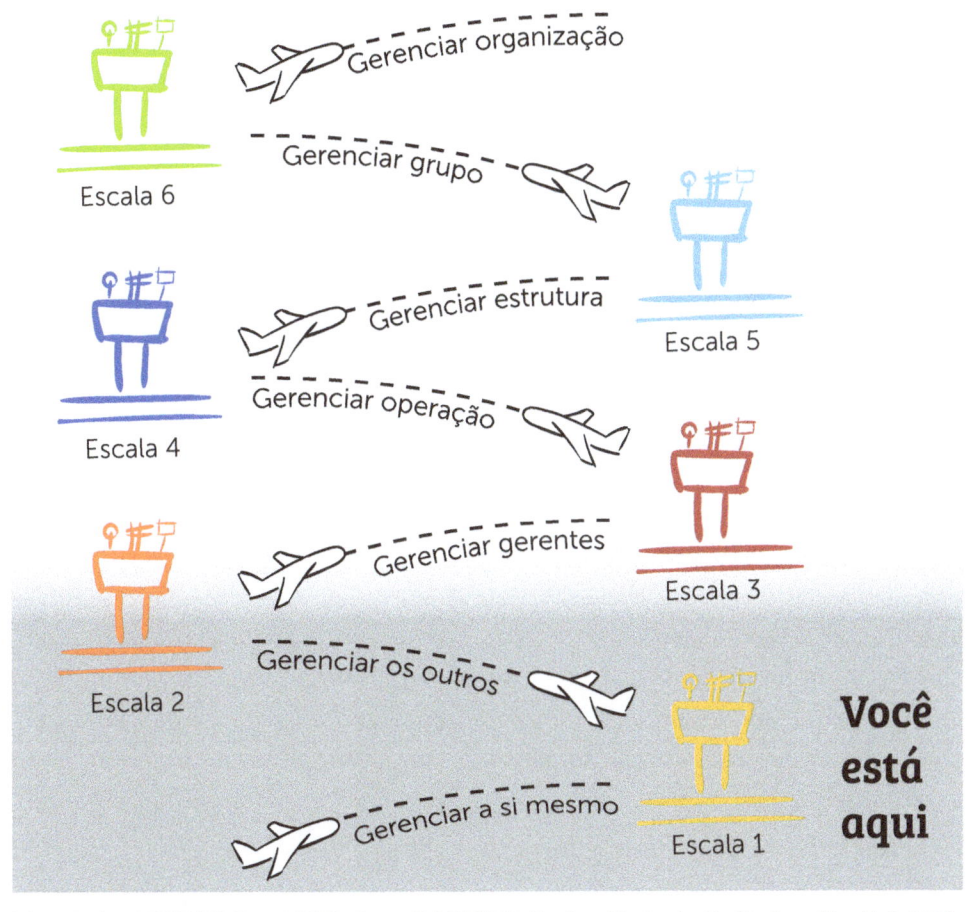

- Escala 6 — Gerenciar organização
- Escala 5 — Gerenciar grupo
- Escala 4 — Gerenciar estrutura
- Escala 3 — Gerenciar operação
- Escala 2 — Gerenciar gerentes
- Escala 1 — Gerenciar os outros / Gerenciar a si mesmo — **Você está aqui**

Adaptado de: CHARAN, Ram. NOEL, James. DROTTER, Stephen *The Leadership Pipeline - How To Build The Leadership Powered Company*. WILEY, 2014.

O plano de voo: Passo a passo para acelerar sua liderança

Na primeira passagem do pipeline de liderança existe uma diferença marcante entre os dois papéis que fazem parte dessa transição. Segundo os autores, o colaborador individual, aquele que gerencia a si mesmo, é responsável por 100% da execução das atividades para atingir resultados, porém, quando ele se torna um gestor de primeiro nível, gerenciando outras pessoas, 50% dos resultados devem passar a ser executados por ele e os outros 50% executados pela sua equipe. Charan, Drotter e Noel explicam que cada nível de liderança exige aprendizados específicos cada vez mais complexos a cada passagem, que devem ser desenvolvidos adequadamente para que o pipeline (ou "tubulação", metáfora da distribuição de líderes pelos

Colaborador individual

Valores profissionais

- Domínio técnico ou específico à área de atuação profissional
- Trabalho em equipe
- Desenvolvimento de relacionamentos visando benefícios e resultados pessoais*
- Utilização de ferramentas, processos e procedimentos da empresa

Habilidades

- Disciplina diária - chegada, saída
- Cumprir prazos pessoais para os projetos - normalmente no curto prazo, por meio da gestão do próprio tempo

Aplicação de tempo

- Obter resultados por meio do domínio profissional*
- Trabalho de alta qualidade - técnico ou específico à área de atuação
- Aceitação dos valores da empresa

Fonte: Drotter Human Resources Inc.

níveis de gestão da empresa) não fique "obstruído" e a liderança bem preparada seja mais efetiva para atingir os resultados esperados.

As tabelas a seguir mostram uma síntese das atribuições necessárias de cada papel da Passagem 1. Como base comparativa, é possível perceber a grande mudança em termos de valores, habilidades e gestão do tempo que ocorre entre um colaborador individual X um gerente de primeiro nível. Observe que o gestor tem demandas bem diferentes, especialmente quanto a dar o exemplo, saber se comunicar e motivar as pessoas.

*Fatores que devem ser extremamente reduzidos ou deixados para trás quando se torna um gestor de primeiro nível

Gerente de primeiro nível

Valores profissionais

- Definição do cargo
- Seleção (de pessoal)
- Delegação
- Monitoramento do desempenho
- Coaching e feedback
- Planejamento - projetos, orçamento, força de trabalho
- Mensuração do desempenho
- Remuneração e motivação
- Comunicação e clima organizacional
- Aquisição de recursos
- Desenvolvimento de relacionamentos para cima, para baixo e horizontalmente, visando o benefício da unidade

Habilidades

- Planejamento anual - orçamentos, projetos
- Disponibilizar tempo para os subordinados - *solicitado tanto por você quanto por eles*
- Definir prioridades para a unidade e a equipe
- Tempo de comunicação com outras unidades, clientes, fornecedores

Aplicação de tempo

- Obter resultados por meio dos outros
- Sucesso dos subordinados diretos
- Trabalho e métodos gerenciais
- Sucesso da unidade
- Ver-se como um gestor
- Integridade visível

*Fatores que deveriam ser extremamente reduzidos ou deixados para trás quando se torna um gestor de primeiro nível.

No entanto, nem tudo que é exigido do novo gestor diz respeito à liderança em si. O papel de gestor de pessoas tem outras atribuições que vão além da mera função de liderar para se alcançar resultados. É sobre isso que vamos tratar a seguir, quando finalmente você vai conhecer o modelo FLAPS!.

DECOLANDO E ACELERANDO SEU DESENVOLVIMENTO COMO LÍDER ADAPTÁGIL

Na Enora Leaders, criamos um método que chamamos de Vogais da Liderança. "Vogal" vem do latim *Littera Vocalis*, que quer dizer "a letra que dá voz". Assim como o som que é gerado a partir de uma vogal – A, E, I, O, U.

No caso particular do nosso método, o significado de cada vogal é o seguinte:

VOGAIS DA LIDERANÇA

A - Autoconhecimento
E - Estrutura
I - Inteligência emocional e competências
O - On the job e relações de aprendizagem
U - Uhuul! - Comemore suas vitórias

#vogaisdaliderança

Capítulo 5

Os pilares que compõem as Vogais da Liderança, da Enora Leaders, foram elaborados com base em diversos estudos e avaliações dos melhores programas do mundo de formação de líderes e também na mensuração de resultados de nossa prática em desenvolver profissionais para a liderança nas organizações. Mas a principal fonte foi minha formação em design instrucional para programas de liderança, pela *American Society for Training & Development (ASTD)* – hoje conhecida por *Association for Talent Development (ATD)*. Essa experiência deixou evidente para mim que o primeiro passo para o desenvolvimento de líderes é o autoconhecimento[4]. É por isso que faço tantas pausas para provocar você com perguntas. Logo mais, vou apresentar instrumentos para que você possa se conhecer melhor.

A AUTOCONHECIMENTO

O mais interessante é saber por que o autoconhecimento deve ser o primeiro passo. Ao se conhecer melhor, a pessoa aumenta sua autoconfiança, pois acaba conhecendo seus pontos fortes, o que naturalmente também impacta sua autoestima. Como a nossa decisão de "seguir" alguém é voluntária, as pessoas só vão confiar em seguir um líder se ele transmitir confiança, ou seja, se confiar em si mesmo autenticamente. Confiança, como vamos ver no passo L3, é a base para a influência (L4), que é a competência fundamental para mobilizar pessoas para que sigam os líderes sem a necessidade de autoridade – você se lembra da minha experiência no D.A.? Então...

| Autoconhecimento | Autoconfiança | Confiança dos outros | Influência | Liderança |

ESTRUTURA

Estrutura FLAPS! Aprender com um passo a passo

Quando não sabemos o que fazer, é sempre mais rápido via passo a passo.

É como aprender a pilotar um avião – você não pega a máquina simplesmente e sai pilotando. Como você vai notar, a inspiração para tratar da Liderança AdaptÁgil neste livro veio dos conceitos dos pilotos para operar uma aeronave. O procedimento chama-se SOP – *Standard Operating Procedure* (Procedimento Operacional Padrão) que se inicia no *checklist* de segurança, depois passa para as atividades prévias ao voo antes mesmo de ligar a aeronave, o briefing da viagem, a extensão e retração dos *flaps* das asas, os famosos procedimentos de cruzeiro até, finalmente, os procedimentos de descida e pouso. A ideia não é "engessar" o processo de liderança, pois realmente cada um vai colocar seu estilo, para que se sinta confortável no papel do líder AdaptÁgil e para que sempre busque atuar com autenticidade. Porém, para tornar o procedimento de como liderar mais ágil, ofereço aqui um guia criado na Enora Leaders para quem está começando: o "FLAPS!" – acrônimo para o modelo apresentado neste livro: **F**urlan **L**eadership **A**cceleration and **P**eople management **S**ystem (Sistema Furlan de Aceleração de Liderança e Gestão de Pessoas), que nada mais é do que um passo a passo para a complexa tarefa de fazer a gestão de pessoas.

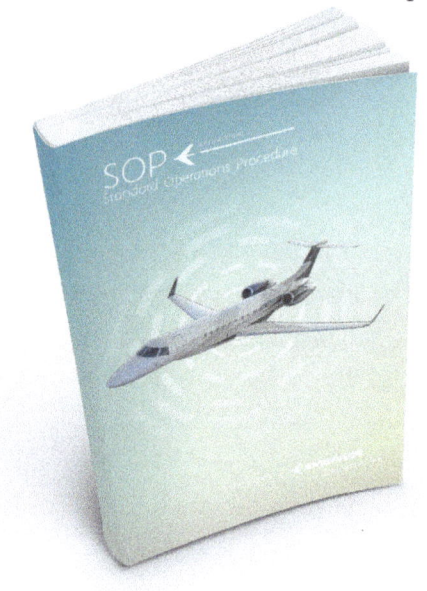

Flaps em inglês quer dizer "abas". De forma bem simplificada, os flaps no avião criam um ângulo distinto do padrão das asas, dando maior sustentação para o avião **acelerar** na decolagem ou desacelerar no pouso. Sem os flaps, o avião teria que percorrer uma distância maior tanto para decolar, como para pousar. Nosso **FLAPS!** tem a mesma função, acelerar a decolagem do líder AdaptÁgil e também seu pouso – no sentido de encontrar um lugar próprio, bem fundamentado, para que se estabeleça nessa função com segurança –, facilitando sua trajetória para atingir resultados por meio do time de forma mais rápida. Aliás, o FLAPS! foi concebido essencialmente para oferecer uma rota mais direta, prática e eficaz de aprendizagem, que responde às demandas de quem busca decolar rapidamente na Liderança AdaptÁgil mais bem preparado. Por isso, ele foi pensado como um processo destinado a promover um entendimento imediato dos requisitos básicos de um líder para profissionais em primeiro nível de gestão.

A ideia de criar a sigla FLAPS! remete também a um dos principais aprendizados que tive sobre gestão. Um dia estava falando com meu tio Pedro Luiz Correa, um empresário que sem dúvida foi uma grande inspiração para que eu seguisse essa carreira também, e ele me falou que uma vez ouviu de um consultor que havia ido à empresa dele a seguinte expressão: "para ser um bom gestor, tem que se fazer o PLOC" e continuou: "Gestão é planejar, liderar, organizar e controlar". Puxa vida, fiquei com isso na cabeça durante meses... Como era simples o conceito! Realmente boa parte do que eu acreditava que era gestão estava resumida ali. Aliás, muitos anos depois, vi que este conceito havia vindo de um reconhecido autor chamado Richard L. Daft[5], que definiu essas quatro funções do gestor (embora não tenha tido a criatividade de meu tio de chamá-las pela sigla PLOC). No entanto, vi com o tempo que faltavam três importantes funções ali e que o "organizar" era muito redundante com o "planejar" em si.

ENTÃO CRIEI O CONCEITO FLAPS!,
com 6 funções do gestor de pessoas, sendo elas:

FORMAR
LIDERAR
ACOMPANHAR
PLANEJAR
SUPORTAR
COMEMORAR

Para este livro, selecionei a função mais importante para se alcançar resultados, **LIDERAR**. É nesta função que focaremos toda nossa formação ao longo dos próximos capítulos apresentando os 6 passos necessários, de L1 a L6, para se iniciar e gerar *momentum* no processo de liderança até alcançar os resultados.

INTELIGÊNCIA EMOCIONAL E COMPETÊNCIAS

Não basta se conhecer bem (Vogal A) ou entender bem a estrutura (Vogal E) para liderar se, na hora de colocar em prática, você não conseguir implementar os passos do processo ou não conseguir se conectar (criar *rapport*) com as pessoas que você quer que sejam seus seguidores.

A boa notícia é que você tem mais chance de ser bem-sucedido na prática se antes desenvolver habilidades em duas esferas essenciais: uma emocional e outra comportamental (Vogal I).

Primeiramente, é importante que o líder construa relações de qualidade com os outros, o que só é possível quando ele percebe e entende o estado emocional das pessoas. Em outras palavras, quando usa Inteligência Emocional – termo que descreve a habilidade de lidar com as emoções, tanto as próprias, como as dos outros. Sem desenvolver essa capacidade, fica mais difícil compreender e motivar as outras pessoas.

E em termos de comportamento, quando falo em "desenvolvimento", eu me refiro a desenvolvimento de competências. A pedagoga Maria Rita Gramigna[6] define competências como um conjunto de comportamentos com três pilares, denominado CHA:

C de Conhecimento:

O que você sabe ou conhece. São os assuntos, conceitos, conhecimentos técnicos específicos ou instrumentos que você domina para exercer uma função ou atividade com excelência. Por exemplo, você tem especialização na área de Exatas e sabe como se faz um cálculo matemático complicado. Saber "cálculo" no caso é um conhecimento, não quer dizer que calcule bem, apenas que conhece as operações matemáticas.

H de Habilidade:

O que você sabe fazer. É a capacidade de pôr em prática aquilo que você sabe. Aqui entra o grau de fluência com que o indivíduo desempenha uma determinada tarefa. Então, seguindo o exemplo, é quando você ativa o que sabe sobre cálculos complicados para conseguir resolver com sucesso uma equação na prática. Tem a ver com a aptidão adquirida pelo uso ou aplicação dos seus conhecimentos. Portanto, "calcular" é a habilidade.

A de Atitude:

Como você encara as ocasiões ou escolhe agir. É a sua postura, suas reações, sua maneira de ser diante das situações ou tarefas do dia a dia. Tem a ver com as características pessoais aplicadas ao trabalho. É a predisposição que você tem para fazer (ou não) algo quando é estimulado. É seu jeito particular de atuar para atingir objetivos. Por exemplo, há pessoas que demonstram mais agilidade e entusiasmo e, diante de uma oportunidade de negócio, já saem em busca de contatos para fazer acontecer. Já outras são mais calmas e conseguem manter equilíbrio emocional em momentos de conflito ou na hora de solucionar uma crise. Seguindo a linha que vínhamos falando, caso toda a vez que a pessoa veja um problema complexo de matemática ela se motive e tente resolvê-lo, esta pessoa tem a atitude de "enfrentar desafios" ou "foco em resolução de problemas", por exemplo.

Proponho que faça um exercício, então, para colocar isso em prática:

Pense em uma pessoa com a qual você sentia prazer de trabalhar e que considerava seu líder. Agora liste quais eram as características que faziam dela um líder para você:

Agora volte na descrição do CHA para comparar com o que escreveu. Depois, anote quais são Atitudes, Habilidades ou Conhecimento dessa pessoa.

características
DO SEU LÍDER

	C	H	A
_____	☐	☐	☐
_____	☐	☐	☐
_____	☐	☐	☐
_____	☐	☐	☐
_____	☐	☐	☐
total:	____	____	____

Qual foi o fator que mais apareceu?

Já apliquei este exercício centenas de vezes em sala de aula e o resultado de sempre é: as atitudes predominam. A conclusão é simples: o que faz um líder não são suas habilidades, muito menos seu conhecimento sobre determinado assunto. É sempre a atitude que ele adota diante dos fatos que caracteriza sua liderança. As pessoas seguem alguém pela atitude que toma. Por isso, se você deseja ser um líder, precisa refletir sobre seu "jeito de ser" diante das situações e avaliar quais das suas inclinações ou predisposições mentais (*mindset*) podem estimular as pessoas a seguir você.

Para promover seu desenvolvimento, ao longo deste livro vou abordar algumas das principais competências de liderança, como:

- Autoconhecimento
- Saber ouvir
- Empatia
- Relacionamento interpessoal
- Habilidades de comunicação
- Criação e Compartilhamento de visão
- Perseverança
- Transmissão de segurança
- Encorajamento
- Acreditar nas pessoas
- Envolvimento das pessoas
- Construção de confiança e autoconfiança
- Positividade (adequada)

Iremos também abordar outras competências específicas do Líder AdaptÁgil como:

- Flexibilidade
- Adaptabilidade
- Conhecimento do Negócio
- Proximidade e Conectividade
- Visão Sistêmica ou Visão Holística
- Agilidade

ON THE JOB (APLICAÇÃO PRÁTICA)
e relações de aprendizagem

COMO OS ADULTOS APRENDEM?
70% Aprendizado Informal
20% Informal
10% Formal

Aprendizagem no trabalho e Relacionamentos para a aprendizagem

Segundo o Center for Creative Leadership[7], a maior referência mundial no desenvolvimento de liderança, 90% da aprendizagem acontece de forma informal, ou seja, no ambiente de trabalho e não necessariamente participando de cursos e treinamentos ou lendo livros e teorias. A aprendizagem da liderança acontece justamente quando interagimos com outras pessoas, recebendo feedbacks de um gestor, por exemplo, ou "dicas" de um mentor sobre como lidar com um funcionário-problema.

Mas, acima de tudo, a aprendizagem acontece quando se enfrenta desafios, saindo da zona de conforto, como ilustrei no caso de minha ida às Filipinas. Obviamente, atividades desafiadoras não envolvem necessariamente largar tudo e ir morar do outro lado do mundo, mas, sim, ter coragem de tentar fazer algo novo, como liderar um projeto importante, por exemplo.

E você não precisa fazer tudo de uma vez. Como ouvi de meu colega Roberto Bucker, ex-CEO da Scholle do Brasil, "temos que sonhar grande, começar pequeno e andar rápido". Em outras palavras, em seu primeiro voo você não precisa pilotar um avião comercial para a Europa, pode (e deve) começar pelo simulador de voo, depois passar para um avião executivo de pequeno porte e ganhar horas de voo antes de poder conduzir um Boeing ou Airbus *widebody*, ainda que seu sonho seja pilotar um jato supersônico.

Aliás, falando em ganhar horas de voo, para ser um grande líder, não basta ter habilidade e talento. Malcolm Gladwell, autor de *Fora de Série*[8] (*Outliers: The Story of Success*), pontua que para obter excelência profissional e sucesso é preciso trabalho duro e muito tempo dedicado à prática. De acordo com suas pesquisas, as pessoas que se tornam realmente boas em alguma coisa – aqueles que ele chama de profissionais de elite com trajetórias excepcionais – dedicam pelo menos 10 mil horas à prática ("regra das 10 mil horas"[9]). Isso significa que se você quiser decolar bem sua carreira como líder de sucesso vai precisar ter uma quantidade massiva de prática ou, no mínimo, 10 mil horas de "voo".

Como disse Aristóteles: "Somos aquilo que fazemos repetidamente". Nesse sentido, a performance também está associada à repetição e ao hábito. De acordo com estudo científico de Phillippa Lally *et al.*[10], em média o mínimo de tempo que levamos para que uma nova prática se torne um comportamento automático – um hábito – são 66 dias. Ou seja, mais de dois meses de repetições diárias! – e não 21 dias, como popularmente se acredita[11]. Quando se trata de aprendizagem, à medida que novos hábitos são adquiridos pela experiência prática, os padrões de atividade neural no nosso cérebro mudam dinamicamente e se consolidam em novos comportamentos. Em outras palavras, a prática constante pode levar você a níveis mais elevados de desempenho e a aperfeiçoar sua atuação como líder AdaptÁgil. Por essa razão, aprender no dia a dia do trabalho é fundamental.

UHUUUL! (COMEMORE VITÓRIAS)

A maioria das pessoas não persiste em uma jornada a menos que perceba, em um curto espaço de tempo, que o percurso, o esforço e o custo valem a pena, produzindo resultados esperados. Segundo John Kotter (autoridade mundial no tema "liderar a mudança"), para manter as pessoas energizadas e motivadas a levar a mudança adiante até que os objetivos sejam plenamente alcançados, o líder precisa produzir vitórias rápidas (*quick wins*) em quantidade suficiente. Do contrário, muitos colaboradores podem desistir ou passar a resistir ativamente. Por essa razão, é tão importante que o líder reconheça as várias conquistas do time durante a execução, comemorando cada desafio vencido. E isso serve para o líder também.

Nada motiva mais do que o sucesso.

A explicação disso vem da forma como nosso cérebro reage a comemorações. Celebrar estimula o cérebro a produzir dopamina, substância liberada entre as células cerebrais quando sentimos bem-estar. Essa resposta química nos motiva a agir em direção a objetivos, desejos e necessidades e também reforça nosso prazer quando conseguimos alcançá-los. Por isso, este estado positivo gerado pela comemoração constante causa um impacto tão relevante na motivação e produtividade das pessoas. Assim, se você quer ser um líder motivador, saiba que comemorar vitórias imediatas ao longo do caminho, além de estimular as pessoas a agir, faz toda a diferença para minimizar a pressão de alcançar grandes resultados. Mas é essencial manter os pés no chão e nunca perder de vista o principal objetivo. De todo modo, comemorar cria um clima de trabalho em que todos se sentem motivados a contribuir e a dar o melhor de si. Afinal, ninguém produz bem com falta de reconhecimento e desprazer. Então, comemore! Uhuuul!

REFLEXÃO DE LÍDER

1. Quais são seus principais pontos fortes? Você acha que vale a pena se dedicar para aprimorá-los ainda mais ou é preferível melhorar seus pontos fracos para ser mais produtivo? Por quê?

2. De tudo o que aprendeu até aqui, o que você acha que vai ser mais aplicável no seu futuro? O que vai colocar em prática assim que voltar ao trabalho?

3. Dos seus pontos a desenvolver, qual você acredita que pode mudar se você se empenhar? Quanto tempo vai precisar para fazer isso? E quais estratégias vai usar?

4. **Das competências abaixo, como está seu nível em uma escala de 0-5 em cada uma delas?**

Competência					
Autoconhecimento	1	2	3	4	5
Saber ouvir	1	2	3	4	5
Empatia	1	2	3	4	5
Relacionamento interpessoal	1	2	3	4	5
Habilidades de comunicação	1	2	3	4	5
Criação e Compartilhamento de visão	1	2	3	4	5
Perseverança	1	2	3	4	5
Transmissão de segurança	1	2	3	4	5
Encorajamento	1	2	3	4	5
Acreditar nas pessoas	1	2	3	4	5
Envolvimento das pessoas	1	2	3	4	5
Construção de confiança e autoconfiança	1	2	3	4	5
Positividade (adequada)	1	2	3	4	5
Flexibilidade	1	2	3	4	5
Adaptabilidade	1	2	3	4	5
Conhecimento do Negócio	1	2	3	4	5
Proximidade e Conectividade	1	2	3	4	5
Visão Sistêmica ou Visão Holística	1	2	3	4	5
Agilidade	1	2	3	4	5

PARTE 2

Descobrindo o processo de Liderança AdaptÁgil

COMO APROVEITAR

Este livro vem com o **Canvas da Liderança AdaptÁgil**, uma ferramenta que será sua parceira na implementação dos passos do FLAPS! dentro da sua realidade e que irá impulsionar ainda mais seus resultados.

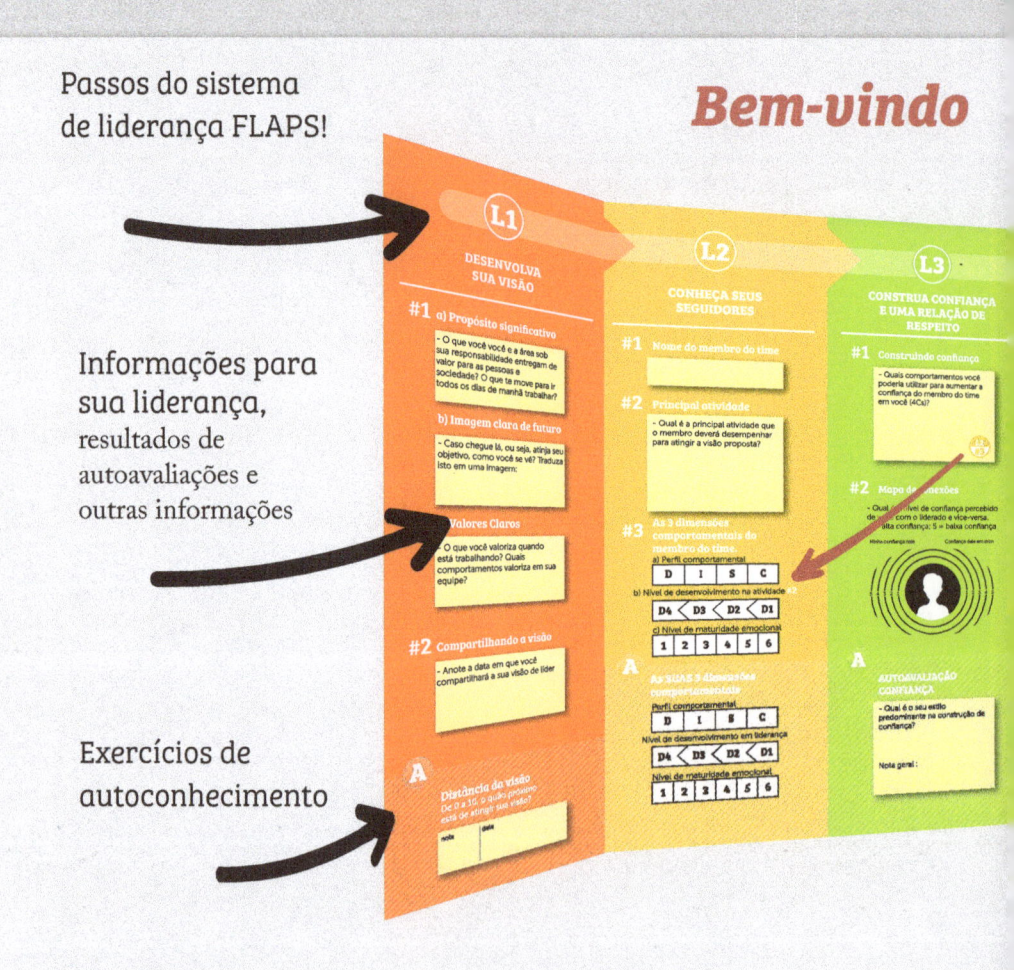

Passos do sistema de liderança FLAPS!

Bem-vindo

Informações para sua liderança, resultados de autoavaliações e outras informações

Exercícios de autoconhecimento

Nas últimas páginas deste livro você encontra um código para o acesso às ferramentas como Canvas, Autoavaliações e muito mais, em uma plataforma colaborativa para tirar dúvidas e aprender fazendo.

O MÁXIMO DO SEU LIVRO

Conheça o **FLAPS! Online**, uma plataforma exclusiva para você realizar os exercícios de autoconhecimento e sincronizar as informações do seu Canvas instantaneamente com os dados de resposta dos membros da sua equipe.

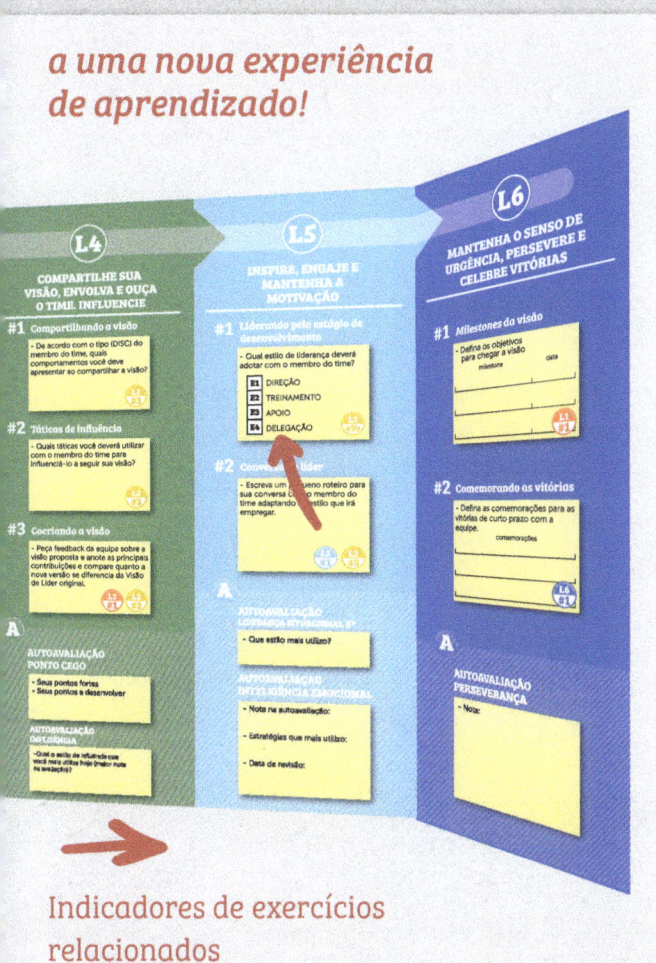

a uma nova experiência de aprendizado!

Reconheça a atividade pelo ícone

Atividade no CANVAS

Reflexão de líder

Atividade de autoconhecimento

Indicadores de exercícios relacionados

acesse Já

https://flaps.enora.com.br

L1 L2 L3 L4 L5 L6

VOAR PARA ONDE?
Defina seu destino... Ou sua VISÃO de líder

L1: DESENVOLVA SUA VISÃO

Capítulo 6

Imagine uma situação: você vai viajar e, ao entrar no avião, a aeromoça gentilmente cumprimenta os passageiros, oferecendo um fone de ouvido ou uma água. Você aceita, verifica o número do assento em seu ticket e recebe a orientação para chegar até lá. Continua andando até, finalmente, encontrar seu lugar. Ufa, não tem ninguém sentado nele! Você descobre um espacinho no compartimento superior, coloca sua bagagem de mão, pede licença para a pessoa que está sentada no corredor, que se levanta. Após contornar este passageiro e brevemente observar que uma pequena fila começa a se formar no corredor atrás, você consegue se esgueirar pelos bancos até conseguir se acomodar em seu assento na janela. Coloca o fone de ouvido, cumprimenta a pessoa ao seu lado, fecha os olhos, se acomoda para dormir um pouco enquanto aguarda a partida. As turbinas são ligadas e, então, uma voz se sobressai à música dos Beatles em seus fones: "Tripulação aqui é o comandante, estamos prontos para nosso voo para.... para....". Você abre os olhos, as pessoas todas se entreolham e ele continua: **"Aonde nós vamos mesmo?"**

Você fica branco, leva suas mãos à cabeça, começa a suar e faz uma cara mais ou menos assim...

Capítulo 6   **Desenvolva sua visão**

Brincadeira à parte, o que quero reforçar aqui é um ponto fundamental para o sucesso de um líder AdaptÁgil: saber para onde quer levar sua equipe. Os membros do time precisam se sentir seguros, confiar na pessoa que está no comando do grupo, saber que ele "leva a bandeira à frente do time", assim como Blériot escreveu em resposta a Santos Dumont.

O renomado guru em liderança Ken Blanchard, no livro *Liderança de Alto Nível*[1] *(Leading at a Higher Level)*, fala que toda liderança de sucesso precisa ter um destino certo.

> **"Liderar é ter um destino certo. Se você e seu pessoal não sabem para onde vão, sua liderança nada significará."**
> Ken Blanchard, "Liderança de Alto Nível"

Com Ken Blanchard, durante o congresso da ASTD em Dallas 2013.

Como você viu na definição de liderança (*capítulo 3*), o líder deve saber claramente qual resultado espera do seu time, caso contrário pode simplesmente não chegar a resultado nenhum. Por isso, tem que saber definir o destino (ponto B), ter noção clara de onde está (ponto A) e traçar a rota, ou direção, que quer atravessar. Sem esse preparo, o time poderá gastar muita energia e ser ineficiente para chegar ao resultado. E hoje, em tempos de rápidas mudanças, essa energia simplesmente não pode ser desperdiçada pelo risco de se perder competitividade. Nesse sentido, as qualidades do líder AdaptÁgil são as mais desejáveis, pois sua flexibilidade e agilidade – que o capacitam a reconhecer quando novas situações impõem a necessidade de adaptar rapidamente o caminho traçado – mantêm as pessoas no rumo certo, em direção aos resultados esperados.

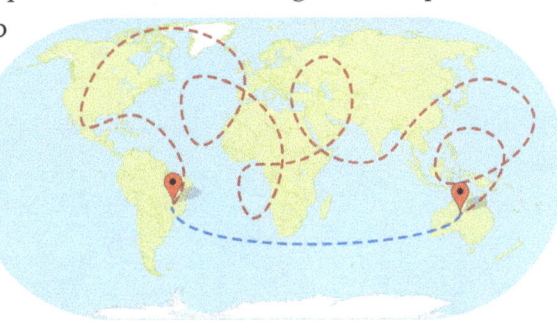

L1 L2 L3 L4 L5 L6

TER UMA VISÃO CLARA NOS AJUDA A LIDERAR MELHOR A NÓS MESMOS

Seja a mudança que quer ver no mundo

Mahatma Gandhi

Não consigo falar sobre visão sem mencionar a história de um dos maiores líderes de todos os tempos, Mohandas Karam Chand Gandhi. *Mahatma* (ou Grande Alma, como ficou conhecido) nasceu em uma família de classe média na Índia. Após estudar Direito na Inglaterra, teve a oportunidade de trabalhar na África do Sul.

Capítulo 6 — Desenvolva sua visão

Ele ficou totalmente desesperado quando viu que seus conterrâneos indianos enfrentavam o apartheid em seu país e começou a lutar pacificamente, utilizando os ensinamentos do conceito hindu de Satyagraha ("a verdade consistente") contra o regime.

Após 20 anos na África do Sul, ele se mudou para a Índia, onde deu início, entre tantas outras iniciativas pela liberdade, ao movimento para restaurar a "roda de fiar", de forma que os indianos voltassem a produzir seus próprios tecidos como antes, libertando-se economicamente da necessidade de importar tecido manufaturado da Inglaterra.

> Para **inspirar** o povo indiano a recuperar o hábito de utilizar a "charka" (roda de fiar tradicional) para produzir fios de lã, Gandhi tornou-se instrutor em workshops que estabeleceu ao redor do país para ensinar a técnica. Ele também deu o exemplo ao usar somente roupas feitas com fios originários desse processo.

O que essa história extraordinária nos mostra é que, para inspirar alguém, é necessário começar por você mesmo e viver seu propósito de vida para atingir sua visão.

No Museu Nacional do Gandhi em Nova Delhi, Índia.

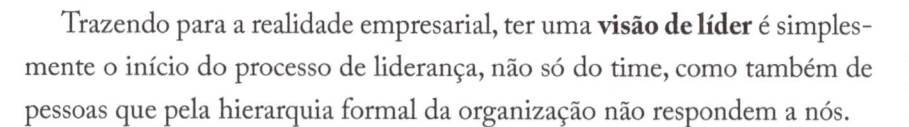

Trazendo para a realidade empresarial, ter uma **visão de líder** é simplesmente o início do processo de liderança, não só do time, como também de pessoas que pela hierarquia formal da organização não respondem a nós.

Isso me faz lembrar da fundação da Enora Leaders e da importância da visão quando se começa um negócio. Na época em que fundei a empresa tinha 25 anos. Sem experiência no ramo de treinamentos corporativos, não tinha contato com ninguém da área de Recursos Humanos das empresas, nem dinheiro para investir no negócio, muito menos um time. Tudo que eu tinha era uma visão que se confundia com minha própria visão imaginada lá atrás, quando tinha 15 anos, na ocasião em que fui fazer intercâmbio na Inglaterra (*veja capítulo 1*). Que era a seguinte:

"Poderemos, sim, a partir de educação de alto nível, de melhores práticas mundiais, ter mais igualdade social, mais orgulho e mais respeito também por quem somos".

Essa visão foi a base da Enora, já que foi ela que trouxe meu primeiro grande parceiro na empresa, Renato Fontana Capalbo, grande empreendedor e amigo. Com ele, formamos um time que passou a compartilhar esta visão com os primeiros colaboradores que toparam entrar na empresa. Pense bem, uma empresa pequena não pode pagar muito bem, não tem histórico, nem ao menos sala. Quando contratamos a primeira funcionária, trabalhávamos os três, cada um de sua casa, com uma linha de telefone do Skype que direcionava para o computador de um de nós. Quem toparia isso? Somente pessoas inspiradas por uma visão maior.

Com o Renato Fontana e o artista Adagenir, no primeiro evento realizado pela Enora Leaders.

Capítulo 6 — **Desenvolva sua visão**

CONSTRUINDO A VISÃO DE LÍDER

Gosto muito da abordagem de Ken Blanchard[2] para a construção da Visão de Líder. Segundo ele, podemos estruturar essa visão em três partes: Propósito significativo, Imagem clara de futuro e Valores claros. Essa prática que ele criou em seu livro *Liderança de Alto Nível* é interessante justamente por estabelecer de uma forma simples "o que queremos fazer", "aonde queremos chegar" e "como faremos isso". Usar essas medidas para orientar sua visão só vai favorecer seu trabalho como líder e ajudar você a conduzir seu time para realizar grandes feitos.

A — EXERCÍCIO DE AUTOCONHECIMENTO

ACESSE O FLAPS ONLINE

https://flaps.enora.com.br/assessments/visao

Descubra o quão alinhado você está à sua visão como líder!

Assim, para facilitar, apresento um passo a passo para você criar sua própria Visão de Líder:

a) Propósito significativo

Define a razão de sua área existir dentro da organização. A empresa é um sistema, em que cada função, processo ou área está interconectado para gerar valor ao cliente, sociedade e acionista/público. Se seu departamento existe, é justamente porque gera resultados para a empresa. Caso contrário, alguém já teria sugerido que sua área fosse encerrada, especialmente se houver um cenário de austeridade na economia.

Dessa forma, pense no propósito como a razão de cada dia para que você e sua equipe levantem de suas camas e se ponham a trabalhar com afinco. Reflita sobre o que fazem hoje para criar valor à sociedade ou aos clientes lá na frente. Você, como líder, tem a responsabilidade de criar algo inspirador, que realmente vá mover as pessoas. Esse propósito, ou "razão de existir", será vivido por todos os membros de sua equipe ao longo dos próximos anos. Caso seja bem elaborado, é isso que vai motivá-los, mas se for muito simples ou comum, poderá afastá-los e desengajá-los.

L1 L2 L3 L4 L5 L6

Mau exemplo	Área	Bom exemplo
Nosso propósito é gerar relatórios para a área comercial.	 inteligência de vendas	Aumentamos o nível de satisfação e retenção de nossos clientes por nos antecipar às suas necessidades, provendo com precisão informações para que nosso time comercial possa fazer bem o papel de conectar o valor de nosso negócio aos clientes.
Existimos para conferir se tem algum produto errado na linha de produção.	Qualidade	Nosso propósito é garantir sempre que nosso cliente compre aquilo que ele esperava, garantindo também a sua segurança e reputação de nossa organização.
Conferir se os números "estão batendo" com o orçado.	 Controladoria	Nosso propósito é garantir a sustentabilidade de nosso negócio, fazendo com que os investimentos necessários ocorram na dose certa para que possamos atingir nossas metas e para que os clientes tenham acesso aos nossos serviços ao longo dos anos.

Geoffrey Bellman[3], autor de Grupos Extraordinários *(Extraordinary Groups)*, fala sobre a grande importância da Visão de Líder para a própria unidade do grupo em torno de um resultado comum: "Comprometimento com o propósito do time cria o contexto para que os membros deixem de lado suas inclinações pessoais e interesse próprio para o bem do conjunto."

B) Imagem clara de futuro

Você já se fez as seguintes perguntas: O que é sucesso para mim? No caso de meu time e eu seguirmos corretamente nosso propósito, onde vamos querer chegar? O que será realmente sucesso para nós? O sorriso no rosto dos clientes, o reconhecimento do diretor, um bônus maior no final do ano ou ganhar um prêmio regional da empresa ou associação como a "área de logística – destaque do setor"?

Neste momento, realmente peço para que pare um pouco a leitura e imagine, visualize, seu projeto na plenitude e curta o instante em que atingiu este ponto, sendo reconhecido pelas pessoas.

Alguns exemplos para inspirá-lo na confecção de sua imagem clara de futuro:

Parques Walt Disney:
Que o sorriso no rosto, quando as pessoas deixam o parque, seja o mesmo de quando entraram.

Programa Espacial Americano (década de 60):
Até o final da década de 60, fazer o homem pisar a Lua e trazê-lo de volta em segurança.

Área Financeira:
Ser reconhecida por toda a organização como uma área parceira de negócios.

L1 L2 L3 L4 L5 L6

C) Valores claros

Desde que somos mais jovens, ouvimos muito nossos pais, professores ou sacerdotes falando sobre valores. Inclusive, parece algo muito enraizado em nós, algo que devemos seguir, senão...

Costumo usar uma definição bem simples que espero que ajude você quando for pensar nos valores para seu time. "Valores" têm a ver com a forma de fazer, as características ou atitudes *que valorizamos.*

Lembro-me de quando trabalhava na Whirlpool falava-se muito de "com paixão, orgulho e performance". Os valores são as coisas que nós valorizamos quando estamos produzindo resultados para a organização ou nossa área. É como se, naquela empresa, os colaboradores falassem: "Nosso time trabalha todos os dias com paixão, orgulho e performance." É uma declaração de *como realizamos* nosso trabalho, qual direção seguimos para desenvolver, fabricar e distribuir eletrodomésticos para as pessoas. É um grande guia para toda a empresa.

No entanto, no contexto da VISÃO DE LÍDER peço que cada um defina o que valoriza. Então, partindo de você, pode até se basear nos valores da empresa, mas faça uma pausa e reflita com cuidado: como você gosta de produzir agregando valor? Como prefere trabalhar todos os dias? O que você considera realmente importante?

Tente listar entre 3 e 5 pontos no máximo. Os valores serão muito importantes para você como líder, pois é justamente o mantra que você deverá repetir ao time todos os dias. Os valores é que vão nortear seus comportamentos na hora de tomar decisões e agir em sua rotina de trabalho. Alguns exemplos para você ter em conta: **Respeito, Segurança, Sustentabilidade, Limpeza, Agilidade, Precisão, Pontualidade, Qualidade, Foco no cliente, Foco em resultado, Inovação** e por aí vai. A lista é longa!

Você consegue listar três pontos que realmente valoriza na forma de produzir resultados que gostaria que o time seguisse, mesmo quando não tem ninguém olhando ou de luz apagada?

Capítulo 6

Desenvolva sua visão

ATIVIDADE NO CANVAS

Agora que já sabe o que é a Visão de Líder e como construí-la, siga as orientações do Canvas que veio com este livro para preencher sua própria Visão de Líder. Este passo é o mais importante para todo o processo que você vai passar. Alinhamento é muito importante, então, após criar sua Visão, procure seu gestor (ou para quem não tem gestor, seu cliente) para perguntar o que acha desta sua visão, de onde e como gostaria de levar o time. Pegue também a perspectiva dele, antes mesmo de encontrar e colaborar com o time a perspectiva deles para que seja ainda mais poderoso.

Especialmente no passo L4, quando for compartilhar esta visão com o time, para que o grupo possa opinar se é isso mesmo que todos, como equipe, valorizam, se é isso o que fazem e se é nesse lugar que querem chegar. A participação e senso de propriedade dos colaboradores na hora de "comprar" essa ideia e ter clareza do que é esperado deles é fundamental para que fiquem engajados.

Utilize o Canvas da Liderança AdaptÁgil para ter uma visão geral do processo de liderança, completando os itens ao decorrer do livro.
ACESSE O FLAPS! ONLINE!
https://flaps.enora.com.br
Utilize o código (últimas páginas) para realizar o seu cadastro.

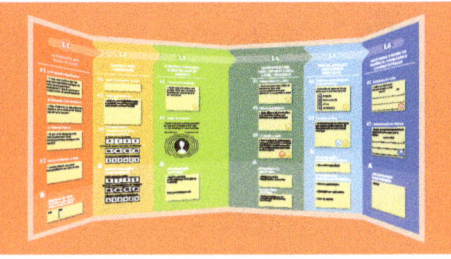

a) Propósito significativo
Por que a empresa investe em ter uma área como a sua na organização todos os dias? Como o valor gerado pela sua área está conectado com as demais áreas da empresa para entregar ao cliente final?

b) Uma imagem clara de futuro
Imagine-se no futuro, alcançando sua visão. Como você enxerga este futuro caso bem-sucedido? Quem está nesta imagem e o que está acontecendo?

c) Valores claros
O que você valoriza na forma que você e sua equipe entregam? Quais comportamentos, atitudes e habilidades são importantes para gerar maior valor e tornar sua área mais próxima da grande visão?

VOCÊ CONHECE
bem sua tripulação?

Capítulo 7

Já falei um pouco sobre a importância de um líder levar em conta as emoções das outras pessoas. E uma competência-chave para isso é desenvolver **empatia** (*logo mais, você vai ver como ela é essencial para os grandes líderes – sua aplicabilidade está concentrada nos passos L2 e L3 do FLAPS!*). Empatia é a capacidade de colocar-se no lugar de outra pessoa e enxergar o mundo sob a perspectiva dela, inclusive percebendo como a pessoa (o outro) considera a sua forma de interagir com ela. É essa habilidade que vai fazer com que as pessoas respeitem mais você e se sintam respeitadas, criando a base para que você seja ouvido quando compartilhar com elas para onde gostaria de conduzi-las no voo que propõe.

conheça seus SEGUIDORES

> "Procure primeiro compreender, para depois ser compreendido"
> *Stephen R. Covey*

A frase acima, registrada pelo grande Stephen R. Covey como o 5º hábito de seu livro *Os 7 Hábitos das Pessoas Altamente Eficazes*[1] (*The 7 Habits of Highly Effective People*), tem um valor enorme para compreendermos claramente o papel do líder com a missão de coordenar uma equipe, seja de 1 pessoa, seja de 40 pessoas. Antes de sair "comandando" o que as pessoas do time devem fazer, o líder que quer ser efetivo busca entender cada uma delas, sob diversos pontos de vista: seu perfil comportamental, seus anseios, o estágio de desenvolvimento em que se encontra, o que ela espera da organização, etc.

Capítulo 7 • **Conheça seus seguidores**

Assim, é fundamental que você conheça bem os membros de sua equipe individualmente, sobretudo para moldar o "como" vai pedir a eles para que façam algo. É incrível, mas, sempre que apontamos a principal diferença entre o chefe e o líder, dizemos: enquanto o primeiro nos manda fazer e é obedecido pela sua autoridade, o segundo é seguido por vontade própria dos colaboradores. Então, como líder, você tem o grande desafio de compreender como vai conseguir estimular essa "vontade" das pessoas de seguir você.

CHEFE — fazemos por sua **AUTORIDADE**

LÍDER — fazemos por ter **VONTADE**

É muito semelhante ao que vemos no planejamento de um voo, antes mesmo de o comandante dar partida no motor da aeronave, ele faz uma verificação externa (*safety checklist*) para buscar eventuais avarias. Também checa a aeronave internamente, os itens de segurança, vê quem é o time de bordo, revisita o plano de voo (*before start*), enfim. No dia a dia da liderança é a mesma coisa, se você não buscar o máximo de informação sobre os membros do seu time, antes mesmo de transmitir o resultado que espera deles, corre o risco de sua comunicação ser ineficaz ou até mesmo inócua, sem "tocar" as pessoas para que se movam na direção que espera que elas sigam.

Por essa razão, este capítulo tem uma importância maior em comparação aos outros, pois servirá de base para você desenvolver a forma com a qual vai se comunicar (L4) com os membros de sua equipe. Além disso, se compreender melhor o outro, vai conseguir turbinar ativamente sua Inteligência Emocional para mobilizar as pessoas mais rapidamente, acelerando ainda mais sua performance como líder AdaptÁgil.

AS DIMENSÕES PARA RECONHECER O ESTÁGIO DO MEMBRO DO TIME

Como já mencionei, existem diversos parâmetros para "conhecermos" melhor os membros do time. Selecionei três dimensões que considero as mais importantes e que mais me apoiaram ao longo de meu desenvolvimento como gestor – o que chamo de "olhar 3D" sobre o time. Aliás, vou aproveitar este momento em que você vai aprender a conhecer melhor sua equipe, para também praticar um pouco mais o pilar de autoconhecimento – a base para o seu desenvolvimento como líder em si.

1D a) Seu perfil comportamental

Vou introduzir o amplamente difundido método DISC® (Dominância, Influência, eStabilidade e Conformidade) para que você possa compreender melhor as preferências atuais de cada membro de seu time.

2D b) Seu nível de desenvolvimento

Você vai aprender também como avaliar o nível de desenvolvimento de cada membro de seu time baseado em duas variáveis principais – autoconfiança e comprometimento.

3D c) Seu nível de maturidade emocional

Você vai ser capaz de diagnosticar rapidamente como o membro de seu time lida com suas emoções e as dos outros, tornando isso algo positivo ou negativo para o ambiente e o trabalho da equipe em si.

Com esses três fatores identificados, você vai ter mais condições de ser eficaz para mobilizar cada indivíduo de uma forma diferente, fazendo com que cheguem a resultados que nunca acreditaram ser capazes de alcançar.

Conheça seus seguidores

Primeira dimensão
CONHEÇA O PERFIL COMPORTAMENTAL DO MEMBRO DE SUA EQUIPE

Existem inúmeros instrumentos e modelos para avaliar o perfil de um determinado indivíduo. Neste livro, optei em apresentar o método DISC® por ser um dos mais difundidos no mundo[2], com mais de um milhão de pessoas que aplicam anualmente avaliações de perfil baseadas na Teoria de Comportamento Humano, criada por William Moulton Marston[3].

Em 1928, Dr. Marston, Ph.D. em Psicologia pela Universidade de Harvard, publicou um livro chamado *Emoções das Pessoas Normais*[4] (*Emotions of Normal People*). Nessa obra, ele explorou as diversas teorias que naquela época, segundo ele, tentavam justamente explicar o comportamento humano, como psicofisiologia, psicometria, behaviorismo e psicanálise[5].

"De acordo com Marston, há quatro tipos primários de expressão, que são relacionados à forma como a pessoa se percebe em relação ao ambiente. Ele organizou estas autopercepções em um modelo de dois eixos. (...) o primeiro eixo percebe o ambiente como favorável ou desfavorável. O segundo eixo mostra a percepção do indivíduo sobre seu próprio poder frente àquele ambiente", conforme explicação de Jeffrey Sugerman *et al.*[6]

Do modelo original de Marston, seus dois eixos e suas nomenclaturas sofreram algumas adaptações para ficar mais compreensíveis aos dias atuais, quase um século depois. A versão que acho mais simples de compreender e gostaria de compartilhar com você é a do livro *As 8 Dimensões da Liderança – Estratégias DISC® para se tornar um líder melhor* (*The 8 Dimensions of Leaderhsip*), no qual é possível observar as preferências e estilos dos indivíduos de acordo com os dois principais eixo de percepção comportamental (percepção interna: poder pessoal no ambiente; percepção externa: favorabilidade do ambiente), como mostra a figura a seguir. De cara, aproveite e tente fazer, de forma bem genérica, o diagnóstico do seu perfil. Não deixe também de aproveitar o exercício para tentar desvendar as principais características de seu gestor direto.

Você se considera uma pessoa mais:

ACELERADA E EXPRESSIVA

QUESTIONADORA, ORIENTADA ÀS TAREFAS

D I
C S

ACOLHEDORA, ORIENTADA ÀS PESSOAS

CAUTELOSA, REFLEXIVA

Adaptado por J.M. Furlan de *As 8 Dimensões da Liderança*, Sugerman Jeffrey et al.

Ao ver o modelo completo, enxergamos nas interseções dos dois eixos as letras que descrevem os padrões de comportamento (veja tabela ao lado para melhor descrição de cada letra).

É importante reforçar que a classificação do comportamento das pessoas baseado no DISC® mensura as preferências do indivíduo naquele momento. Assim, do mesmo modo como as preferências de cada um de nós mudam ao longo do tempo mediante acontecimentos pessoais – nascimento de um filho, casamento, saída de casa ou falecimento de um ente querido –, as preferências identificadas pelo DISC® também podem se alterar de acordo com mudanças na carreira, como promoções, demissões, conquistas e relacionamentos no trabalho.

Outro fator importante é notar que os tipos psicológicos são complexos e podem combinar até três dessas variáveis, em diferentes níveis, para determinar os pontos fortes no comportamento de um indivíduo.

Por exemplo, no meu caso, após passar por questionários mais longos, com diversas avaliações, o diagnóstico resultou como um perfil ID, ou seja, o fator mais forte é o i e depois o D – o significado disso você vai ver a seguir.

*DISC® é marca registrada da Wiley and Sons.

Conheça seus seguidores

O QUE OS FATORES DO DISC® QUEREM DIZER AFINAL

Como disse, o método DISC® avalia aquilo que se pode observar no comportamento da pessoa em relação ao ambiente em que se encontra ou situação atual.

Mais à frente (*capítulo 10*), você vai conhecer melhor a descrição de cada perfil DISC® (*também pode acessar a vasta literatura que existe sobre o assunto*). Mas, por ora, quero dar a você uma visão geral dos perfis-padrão mais genéricos, D, I, S e C, para que você vá aquecendo as turbinas e já inicie sua jornada de autoconhecimento e percepção das características dos membros de seu time. Para começar, veja, de forma resumida, o que significa cada um dos fatores representados pela sigla DISC®:

D Dominância	Fator relativo a controle, poder e assertividade	Indica como a pessoa age mediante desafios
I Influência	Fator relativo à comunicação e às relações sociais	Indica como a pessoa influencia e é influenciada
S eStabilidade	Fator relativo à paciência e à persistência	Indica a reação diante de mudanças
C Conformidade	Fator relativo à estrutura, fatos, detalhes e organização	Indica o modo como a pessoa lida com regras e procedimentos

Vale ressaltar que cada pessoa é diferente da outra e, na verdade, existe mais de um milhão de combinações possíveis entre as diversas variáveis. A seguir, você verá que na população de perfis comportamentais já existe uma grande distribuição de tipos com dois fatores fortes simultaneamente. Não deixe de observar cada estilo e evite rotulagem. Lembre-se, o DISC® é um guia, mas é somente pela convivência e conversa que você vai poder realmente detectar as preferências de cada pessoa do seu time mais rapidamente. Uma habilidade fundamental para quem quer ser um líder AdaptÁgil.

De acordo com a pesquisa feita pela Inscape Publishing Inc., a composição aproximada da população de cada modelo comportamental é como se segue na tabela abaixo[7]:

Estilos "puros"

Estilo	Comportamento	população
Alto D	Desenvolvedor	7%
Alto I	Promotor	8%
Alto S	Especialista	2%
Alto C	Pensador objetivo	7%

Combinação de estilos

Estilo	Comportamento	população
SC	Perfeccionista	16%
SD	Empreendedor	1%
SI	Agente	2%
SDC	Investigador	1%
CIS	Prático	5%
DI	Inspirado	11%
DS	Orientado a resultados	8%
DC	Criativo	18%
ID	Persuasivo	5%
IS	Conselheiro	5%
IC	Avaliador	4%

Fonte: Sebastian, E.G.. *Communication Skills Magic*.

Dominância

Característica presente em pessoas que são vistas como mais diretas e autodirigidas a resultados. Em geral têm opiniões fortes e, comumente, são definidas como pessoas agressivas ou assertivas, ativas, aceleradas, fortes e seguras.

Influência

Característica presente em pessoas que são vistas como entusiasmadas e com alto astral. São muito ágeis em se conectar socialmente e, em geral, são mais falantes. Têm um alto grau de energia e manifestam vontade de estar conectadas às pessoas.

eStabilidade

Característica presente em pessoas que são vistas como gentis e acolhedoras. Costumam pensar muito no começo, meio e fim das atividades e, muitas vezes, são vistas com seus "*checklists*" em mãos. Buscam segurança e estão sempre preocupadas com os outros. Têm grande paciência para tarefas que exijam rotina. Conseguem criar ambientes harmoniosos e estáveis.

Conformidade

Característica presente em pessoas que são vistas como estruturadas e analíticas e mais reservadas. Tendem a valorizar mais o conhecimento e habilidades técnicas e menos a aparência. São mais reflexivas e preferem se comunicar de forma verbal mais reduzida. Muitas vezes, preferem trabalhar sozinhas para obter melhor resultado em suas atividades.

D Dominância | I Influência

	Dominância	Influência
Estilo de Comunicação	Direto. Fala sem focar tanto nos sentimentos e mais no conteúdo. Muito objetivo. Expressa-se comumente "falando o que fazer", sem necessariamente perguntar ao interlocutor o que acha daquilo. Caso não ache adequado, interrompe o que o interlocutor está falando.	Entusiasmado, fala bastante dele e de coisas corriqueiras como amigos, família e eventos. Em geral fala mais do que ouve. Expressa-se falando sobre o lado pessoal e sobre pessoas, comumente interrompe o outro falando por "empolgação" com o assunto.
Aperto de mão	Firme.	Demorado, receptivo.
Ambiente de Trabalho	Em geral desorganizado, porém tem a sua estrutura para que seja ágil e sabe onde estão suas coisas. É prático.	Tem muitas coisas na mesa, desorganizado, voltado à estética, muitas fotos, o que importa não é o objeto da foto, mas o lugar ou muita gente.
Vestuário	Não liga muito, porém pode arrumar-se para mostrar poder, como usar gravata para homens ou tailleur para mulheres.	Anda na moda, valoriza a vestimenta, veste-se de acordo com o ambiente, usa muitas cores. Quer marcar seu estilo.
Conduta	Impaciente, tenta controlar.	Espontâneo, pensa falando.
Contato visual e Linguagem Corporal	Direto, olha nos olhos e por isso pode parecer intimidador. Gestos mais rígidos, andar duro, dedo em riste, invade o espaço do outro.	Mantém contato visual amigável. É mais aberto, expansivo, gesticula muito.

Capítulo 7 — **Conheça seus seguidores**

ⓢ eStabilidade   ⓒ Conformidade

eStabilidade	Conformidade
Cordial. Gosta muito de ouvir as pessoas, processar, presta atenção ao que é dito e depois fala. Expressa-se de forma pausada, aguardando o outro terminar e depois fala. É ótimo ouvinte.	Muito educado e formal, não gosta de falar muito, preferindo reservar-se aos comentários que julgue realmente importantes. Expressa-se escrevendo, em detalhes e de forma estruturada, o que gostaria de comunicar.
Adequado. Demonstra amabilidade.	Breve. Muitas vezes pode parecer frio.
Organizado, tem fotos, valoriza vínculos afetivos, como sua família. É o mais organizado de todos.	Impessoal, provavelmente sem fotos, ou qualquer desordem. Muito estruturado, arquivos e materiais sempre alinhados e em uma ordem lógica (como alfabética ou cronológica).
Vestuário adequado ao ambiente (mais formal ou informal), mas segue mais o conforto do que a moda.	Alinhado, discreto e conservador.
Bom ouvinte, ponderado e zeloso.	Cuidadoso na forma de lidar com o outro, evita conflito, muito preparado.
Mantém o contato visual periférico. Gesticula de forma tranquila, dentro do próprio eixo. Presta atenção, não interrompe.	Evita contato visual, quando em contato, desvia. Quando tem certeza do que está dizendo olha sim fixamente. Linguagem corporal mais contida, sem expressão.

L1 **L2** **L3** **L4** **L5** **L6**

ATIVIDADE NO CANVAS

Agora que você já conhece o método DISC® para classificar os perfis comportamentais das pessoas, vamos começar a pensar em seu time?

Escolha um membro de sua atual ou potencial equipe (caso ainda não seja gestor) para qualificar qual seria o padrão de comportamento mais evidente em cada um deles. Essa informação será fundamental para os passos futuros, quando você começar a aprender a se adaptar aos diferentes perfis comportamentais.

#1 - Identifique o membro da sua equipe

#2 - Qual é a principal atividade que o membro deverá desempenhar para atingir a visão proposta no L1?

#3a - Baseado no que você aprendeu, identifique em qual perfil DISC® o membro da equipe melhor se encaixa.

ACESSE O FLAPS! ONLINE
https://flaps.enora.com.br/canvas/l2
Responda online

A EXERCÍCIO DE AUTOCONHECIMENTO

Quer conhecer melhor as características do seu perfil comportamental?

Faça a autoavaliação online
https://flaps.enora.com.br/assessments/disc

Capítulo 7

Conheça seus seguidores

Segunda dimensão
CONHEÇA O MOMENTO DE DESEN-VOLVIMENTO DE SEUS SEGUIDORES

Imagine-se como um comandante experiente, de uma das mais tradicionais empresas aéreas do Brasil. Agora suponha que, ao longo das duas décadas que você voa nesta empresa, um ou outro copiloto já voou com você, apoiando-o nas diversas atividades que decorrem ao longo do voo.

Mas hoje você vai ter um voo longo pela frente, partindo de São Paulo até Recife, e descobre que nunca ouviu falar do "menino" que será seu copiloto e, portanto, terá que apoiá-lo durante 13 horas de voo[8]. Como você se sente? Quer saber algo sobre ele? Quantas horas de voo ele tem, quanto tempo está na companhia, qual foi seu voo mais longo?

Quer saber se pode delegar o comando da aeronave a ele, caso aconteça algo a você?

Essas perguntas que passam em sua mente não passam de uma sondagem. No fundo, o que você realmente quer saber é qual o **nível de desenvolvimento** desse jovem copiloto para a função de apoiá-lo em um voo longo.

Distância total
5.753km

Tripulantes
18

Combustível
23,6 ton

Voo 1650, o mais longo do país. Percorre 5.753 Km em 13 horas. A tripulação muda após a escala em Manaus.
Fonte: *Superinteressante*.

Neste caso, você não está interessado em saber se ele é o melhor jogador de futebol da classe, se ele foi o melhor coroinha da igreja matriz de São Bento do Sapucaí ou se ele foi campeão do "Soletrando" e sabe dizer com precisão as letras de qualquer palavra em português, de trás para frente. Você quer saber somente se ele é, de fato, um bom copiloto (se possível ótimo), com quem você pode contar em qualquer tipo de circunstância.

Claro que este é um caso hipotético, mas saber o nível de desenvolvimento dos membros de sua equipe é fundamental para a função de líder. Por uma questão muito importante que você vai ver no passo L4, seu comportamento como gestor vai pender ora para dar mais apoio, ora para ser mais diretivo, conforme o nível de desenvolvimento de cada membro da sua equipe.

Em 1968, Paul Hersey e Ken Blanchard[9], embebidos dos aprendizados de Malcolm Knowles e outros grandes pensadores da época[10], criaram o que chamaram inicialmente de "Teoria do Ciclo de Vida da Liderança", em que abordaram, pela primeira vez na história, o conceito de que os membros de uma equipe amadurecem e, diante disso, líderes precisam adaptar seu estilo de gestão de acordo com as mudanças pelas quais cada um dos colaboradores passa. Após alguns anos, resolveram chamar esse modelo de "Liderança Situacional II".

Ao longo das décadas seguintes, cada um dos autores seguiu seu caminho. Então, em 1985, Ken Blanchard – depois de lançar o clássico *Gerente-Minuto* (*The One Minute Manager*), ao lado de Spencer Johnson, um dos livros de liderança mais populares de todos os tempos – apresentou o modelo de Liderança Situacional II® (LSII®)*, cuja principal mudança foi distinguir o grau de maturidade do time em **níveis de desenvolvimento** dos membros da equipe em **cada tarefa ou meta**.

Para determinar esse nível de desenvolvimento, Blanchard utilizou duas variáveis:

*Liderança Situacional II® é marca registrada da Ken Blanchard Company.

Competência e Comprometimento

Competência

Trata-se do nível requisitado de conhecimentos, habilidades e atitudes (CHA) individuais do membro do time para que desempenhe bem a tarefa em questão. Para ajudar você a ser um líder AdaptÁgil, diagnosticando as pessoas de sua equipe com mais rapidez a fim de adaptar suas estratégias de gestão de acordo com cada situação, você pode se basear nas seguintes perguntas para refletir sobre cada membro:

1. Entende bem o que a tarefa ou meta exige?

2. Ele já trabalhou com isso antes, demonstrando bons resultados?

3. Pode mostrar exemplos do que é o trabalho bem-feito para atingir esse resultado?

4. Poderia ensinar alguém como alcançar essa tarefa ou meta?

Comprometimento

Algumas vezes traduzido como "empenho", trata-se do grau de vontade e envolvimento que um indivíduo tem para cumprir uma determinada tarefa ou meta. Esse fator ajuda o líder a perceber o nível de desenvolvimento de cada um frente ao que deve realizar. Para apoiar o diagnóstico preciso deste fator de desenvolvimento, Blanchard determina que o indivíduo deve ser avaliado quanto à sua:

- **Motivação** em desempenhar uma determinada tarefa ou meta. Ou seja, essa pessoa está focada, energizada e entusiasmada para alcançar o resultado?

- **Autoconfiança** para cumprir a tarefa. Quão independente essa pessoa está do apoio ou da orientação de seu líder para desempenhar a tarefa. Ou seja, essa pessoa tem iniciativa própria, convicção de que pode fazer sozinha?

L1 **L2** **L3** **L4** **L5** **L6**

Para ser considerada como uma pessoa com alto comprometimento para uma tarefa, ela precisa ter apenas um desses fatores elevados, sendo que se destaca o fator principal (com maior importância no momento) para determinar seu nível de comprometimento em si.

A combinação dos dois fatores, Competência e Comprometimento, é que vai determinar o estágio de desenvolvimento do membro de seu time, sendo que cada estágio é classificado como D1, D2, D3 e D4, conforme o modelo:

D4	D3	D2	D1
Alta competência, Alto comprometimento	Competência moderada-alta, Comprometimento variável	Alguma competência ou baixa, Baixo comprometimento	Baixa competência, Alto comprometimento

Desenvolvido ← —————————————— → Desenvolvendo

fonte: Blanchard, Ken. *Liderança de Alto Nível*, p.74.

Estamos acostumados a relacionar desenvolvimento com tempo, por isso ver o modelo mostrando "maior desenvolvimento" do lado esquerdo do gráfico nos causa desconforto. O motivo de este formato de níveis de desenvolvimento ser apresentado da direita para a esquerda vai ficar bem claro em breve, no passo L5 (*capítulo 10*), quando os estilos da Liderança Situacional II® forem apresentados a você. Por ora, basta entender as fases de desenvolvimento de uma forma simplificada, com as nomenclaturas para cada estágio, extraídas do livro *Liderança de Alto Nível* (*Leading at a High Level*), conforme a seguir:

O PRINCIPIANTE EMPOLGADO D1

Imagine-se no primeiro dia de aula de um curso de aviação. Seu sonho desde criança é ser piloto de avião, porém você nunca pilotou nem mesmo fogão até o momento. O mais perto que chegou disso foi quando tomou sua última multa por excesso de velocidade, dirigindo seu carro durante as últimas férias. Bem, você está em um estágio de entusiasmo intenso, com alto nível de comprometimento baseado em forte motivação, acima de tudo. Você está confiante de que vai conseguir desempenhar bem esse papel como piloto!

- ⬇ **Competência baixa** - Novo na tarefa, inexperiente.

- ⬆ **Comprometimento alto** - Curioso, entusiasmado, confiante que tem todas as competências necessárias para desempenhar bem a tarefa.

APRENDIZ DECEPCIONADO D2

Até a fase dos simuladores, você estava indo bem, afinal, eles se parecem com videogame. Agora, quando começou a série prática dos voos, foi outra história. No seu primeiro voo real, você tenta decolar e simplesmente não consegue sair do chão e ainda vê todos os outros decolando. Era tão fácil quando "não estava valendo", mas agora, quando você é o único da turma que não consegue, vê que é mais difícil do que pensava e acaba ficando desanimado. Você hesita em agendar a segunda tentativa, acha que vai falhar novamente, sente que sua autoconfiança está muito baixa e considera até mesmo desistir, pensando "não vou conseguir nunca". Seu nível atual de competência é mais elevado do que era no estágio inicial, pois já sabe os procedimentos de voo, já aprendeu também o SOP, ou os procedimentos operacionais padrão, para comandar a aeronave. Apenas se encontra em um estado hesitante, pois não acha mais tão fácil essa história de "pilotar".

- 〰 **Competência alguma ou baixa** - não sabe como seguir em frente, tem desempenho ou progresso inconsistente, está em fase de aprendizagem.

- ⬇ **Comprometimento baixo** - desencorajado e frustrado, pode querer sair, está confuso e preocupado e tem receio em cometer novos erros.

L1 **L2** **L3** **L4** **L5** **L6**

CAPAZ, MAS CAUTELOSO D3

Finalmente você consegue decolar, aliás, mais de dez vezes. E você realmente está gostando muito de voar. Ainda fica aquela sensação de que podem acontecer adversidades, situações que ainda não viveu, e isso pode fazer você se sentir novamente incapaz de atuar nesse tipo de situação, como uma turbulência mais forte ou um pouso com vento lateral muito forte. Dessa forma, sua competência, que agora já está entre média e alta e já foi demonstrada durante as aulas, faz você ter um nível de comprometimento variável – você sente, algumas vezes, que tem todo o controle da situação, outras vezes não. Sua motivação também varia de acordo com uma nova tarefa, novo exercício ou manobra que deve ser desempenhado. Aliás, fica aborrecido algumas vezes. "Quantos pousos ainda faltam para eu me formar? Já estou um pouco cansado disto".

- **Competência moderada ou alta** - Faz contribuições interessantes, habilidades já demonstradas, tem certa experiência.

- **Comprometimento variável** - As vezes hesita, muito autocrítico, pode algumas vezes ficar aborrecido ou apático.

REALIZADOR AUTOCONFIANTE D4

Você conseguiu! Após meses de aprendizado técnico, em sala de aula, e prático, simulando voos e pilotando aviões, você finalmente se formou e agora está pronto para voar! Os treinos da escola de aviação, em condições tranquilas e sem passageiros, não são mais desafiadores, você sente que tem controle total sobre a situação. Domina todas as fases do voo: preparação, decolagem, cruzeiro e pouso.

- **Competência alta** - é reconhecido por ter domínio pelos outros, já é reconhecido como expert, é consistentemente competente.

- **Comprometimento alto** - Autoconfiante, autônomo, inspirado, inspira os outros a tentarem também.

Capítulo 7 — Conheça seus seguidores

No entanto, novos desafios vão surgir. O mesmo *expert* com altas notas na escola de aviação é considerado um aprendiz quando conduz seu primeiro voo comercial. Neste momento, ele volta a um nível D2 ou D3 da nova tarefa, já como profissional. Sua autoconfiança e conhecimentos sobre a nova aeronave vão ser determinantes para atuar no novo estágio que vai ingressar, realizando as novas tarefas e metas designadas a ele.

Ilustrei este exemplo de escola de aviação para que você pudesse, como líder, pensar também em sua equipe. Qual o nível de competência e comprometimento que os membros de seu time atual ou futuro têm? Você consegue avaliar como cada pessoa se sente em relação a um determinado desafio que terá, tal como implantar um novo software de gestão, montar a estratégia de lançamento da nova marca ou colocar o motor de um novo veículo que começa a ser produzido no Brasil?

ATIVIDADE NO CANVAS

Agora que você aprendeu sobre os níveis de desenvolvimento, selecione um membro de sua equipe atual ou, caso ainda não tenha equipe, pense em colegas que poderiam ser de seu time no futuro e classifique-os, avaliando seu nível de competência e comprometimento, conforme o nível de desenvolvimento de cada um: D1, D2, D3, D4.

L2 #3b Desenvolvimento D4 a D1

> No quadro ao lado encontre o nível de desenvolvimento do membro do time em uma tarefa específica a partir dos níveis de competência e coprometimento.

(Quadro: eixo vertical de BAIXO COMPROMETIMENTO a ALTO COMPROMETIMENTO; eixo horizontal de COMPETÊNCIA BAIXA a COMPETÊNCIA ALTA. D4: competência alta, alto comprometimento. D3: competência alta, baixo comprometimento. D2: competência baixa, baixo comprometimento. D1: competência baixa, alto comprometimento.)

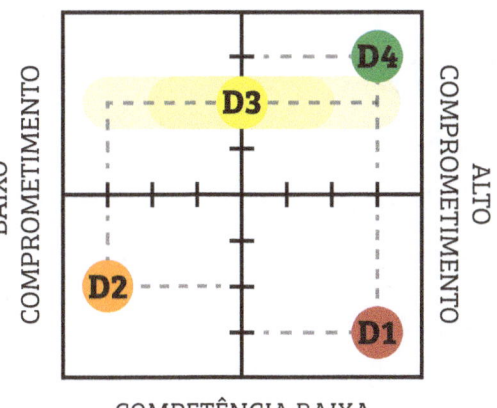

Terceira dimensão

CONHEÇA O NÍVEL DE MATURIDADE EMOCIONAL

Passei a me interessar muito pelo tema "maturidade", já que na Enora Leaders trabalho com um time com média de idade de 26 anos e essa questão sempre vem à tona quando falamos de clima organizacional e performance. Afinal, maturidade tem um papel fundamental na forma como cada um percebe o meio e as pessoas à sua volta. Por gerar mais autoconsciência, a maturidade influencia nossas reações às percepções dos outros e acaba moldando nossas dinâmicas de interação. No ambiente organizacional, a maturidade leva a um estágio mais desenvolvido de competência.

Em minhas pesquisas para conhecer melhor o assunto, fiquei impressionado ao saber quão poucos autores realmente contribuíram com métodos válidos para a aceleração de maturidade e, consequentemente, da própria performance da equipe. Comecei a seguir e implementar os conceitos do Dr. Edward E. Morler, autor do livro *The Leadership Integrity Challenge: Assessing and Facilitating Emotional Maturity* (tradução livre: O Desafio da Integridade da Liderança: avaliando e facilitando a maturidade emocional) com o time da Enora, com excelentes resultados. A seguir, veja os diferentes níveis de maturidade associados a cada tipo de perfil e seus impactos para a organização. No passo L5, você vai saber mais como desenvolver maturidade emocional.

ALTA MATURIDADE EMOCIONAL

#	
1	**Líder**
2	**Executor**
3	**Negociante/Cooperativo**
4	**Opositor**
5	**Manipulador**
6	**Vítima**

BAIXA MATURIDADE EMOCIONAL

Capítulo 7 — **Conheça seus seguidores**

Maturidade Emocional

Nível	Padrão Crônico	Emoções/Atitudes
1 Líder	Alta integridade. Presença confortável. Foco claro. Visão do futuro. Entendimento das reais necessidades. Ações e resultados positivos. Aprecia e desfruta a vida. A vida é uma aventura. Tem senso de humor.	Apaixonado. Alegre. Entusiasmado. Feliz. Muito interessado.
2 Executor	Consciente. Reivindica argumentos fundamentados. Agradável. Proativo. Advogado do diabo.	Positivo. Progressivo. Aberto. Interessado.
3 Negociante/Cooperativo	Mais observador do que participativo. Casual, maduro. Escolhe o caminho mais fácil. Descuidado.	Realista, Neutro. Cooperativo. Desinteressado. Tedioso.
4 Opositor	Vê o mundo hostil e ameaçador. Restrito emocionalmente. A melhor defesa é um bom ataque. Pessoa irritada. O debatedor.	Irritado. Antagônico. Raiva evidente. Ressentimento.
5 Manipulador	O mundo é tão ameaçador que esconde o próprio medo, intenções e comportamentos hostis. Altamente egoísta. O vigarista. Fofoqueiro. Gosta de se martirizar. Duas caras.	Não expressa ressentimento. Manipulador, Antipático. Passivo-agressivo. Esconde hostilidade. Medo. Ansioso.
6 Vítima	Bebê chorão. Reclamador. Manhoso ou anestesiado. Um coitadinho. "Sim senhor". A vítima.	Arrependimento. Pena de si mesmo. Tristeza. Desesperado. Apático. Paralisado.

L1 **L2** L3 L4 L5 L6

ATIVIDADE NO CANVAS

Pense nos membros do time atual ou futuro que utilizou no último exercício. Tendo como base o descritivo dos diferentes níveis de maturidade de Edward Morler, classifique em qual estágio estes membros do time estão e como:

ALTA MATURIDADE EMOCIONAL

1	Líder
2	Executor
3	Negociante/Cooperativo
4	Opositor
5	Manipulador
6	Vítima

BAIXA MATURIDADE EMOCIONAL

Identifique o nível de maturidade emocional,

ACESSE O FLAPS ONLINE
https://flaps.enora.com.br/canvas/

Classifique os membros da sua equipe, pares ou colegas e tenha uma experiência de liderança mais completa a cada capítulo.

Ou assinale no Canvas da Liderança AdaptÁgil

É SEGURO
voar com você?

Capítulo 8

L3: Construa confiança e uma relação de respeito

Confiança é quase um pré-requisito para as relações bem-sucedidas. E, no local de trabalho, é considerada a chave para a construção do bem-estar geral das pessoas e para a alta performance da organização. Afinal, a desconfiança leva a relacionamentos disfuncionais que podem retardar processos e, consequentemente, provocar impactos significativos nos resultados.

Para John C. Maxwell, autor de **As 21 Irrefutáveis Leis da Liderança** *(The 21 Irrefutable Laws of Leadership)*, a confiança para a liderança: "É a coisa mais importante. Confiança é **o fundamento da liderança.**"[1]. Isso porque, em última instância, o grau de legitimidade de um líder é medido pelo nível de confiança dos seus seguidores.

É incrível, mas não paramos para pensar como a confiança pode ser um dos maiores aceleradores de desempenho e riqueza das empresas, organizações e, até mesmo, países ao redor do mundo. Neste capítulo, você vai descobrir por que gerar confiança é tão importante na Liderança AdaptÁgil. Especificamente, vou abordar a relevância desse fator sob duas óticas: para tornar sua liderança possível e para aumentar seu desempenho como líder AdaptÁgil.

Para isso, a seguir vou tratar de três pontos principais:

Ⓐ **Confiança e o alto desempenho**

Ⓑ **Construindo a confiança como líder com o time**

Ⓒ **Autoconfiança**

Capítulo 8
Construa confiança e uma relação de respeito

A. Confiança e o alto desempenho

Há alguns anos, um amigo, ex-colega de Whirlpool (até difícil falar que era colega, já que ele era o VP de RH da América Latina e eu trainee na área de Marketing) e consultor da Enora, Marcelo Amoroso Lima, me apresentou um livro chamado *A Velocidade da Confiança,* de Stephen M. R. Covey (*filho e homônimo do famoso autor*). Fiquei interessado por sua afirmação de que não há nada que acelera mais a performance de uma equipe do que quando seus membros mantêm maior vínculo de confiança uns com os outros. Segundo Covey, as consequências são:

- A informação torna-se mais simétrica – ou seja, as pessoas passam mais informação.
- Existe menos tempo desperdiçado em burocracia – sem precisar de garantias, assinaturas, registros para garantir que a outra parte realmente irá cumprir o que prometeu.
- O clima de trabalho fica melhor – menos tempo é desperdiçado com política e mal-entendidos.

Estudando outro trabalho de M.R. Covey e Greg Link[2] mais recente, chamado *A Confiança Inteligente (Smart Trust),* vi dois gráficos que ajudam a pensar até mesmo na situação econômica do Brasil, que vivencia, a cada tanto no curso de sua história, ciclos de crescimento instáveis que levam à instabilidade econômica e, consequentemente, a índices de rejeição ao governo federal, como testemunhamos nos últimos anos.

No primeiro gráfico, ele apresenta uma correlação entre o índice de percepção de corrupção e o PIB per capita médio.

L1 L2 L3 L4 L5 L6

[Gráfico: Índice de percepção de corrupção (média em 6 anos 2005-2010) versus $ PIB per capta (média em 6 anos 2005-2010), com eixo vertical de 1 (Alta corrupção) a 10 (Baixa corrupção) e eixo horizontal de $0 a $60.000. Países destacados: Dinamarca, Suécia, Austrália, Grã-Bretanha, Alemanha, Japão, França, Estados Unidos, Espanha, Chile, Coreia do Sul, África do Sul, Brasil, China, Índia, Rússia, Iraque. Legenda: ♦ PIB per capita — Linha: Linear (PIB per capita).]

$ PIB per capta
[média em 6 anos 2005-2010]

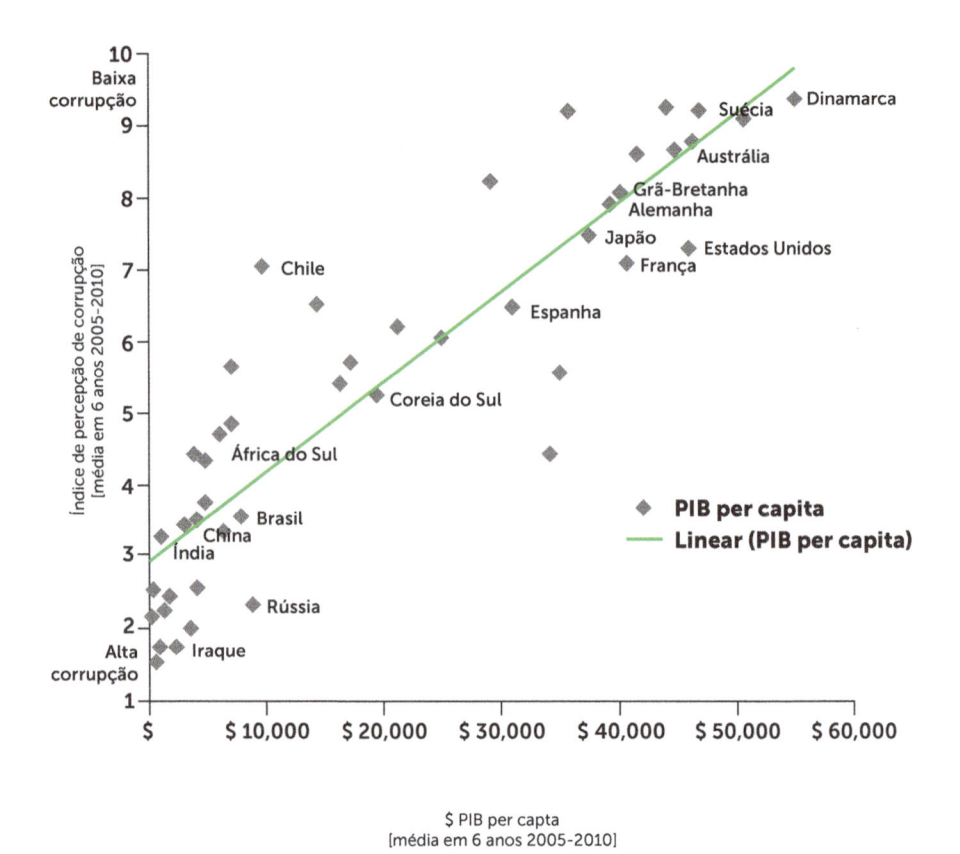

"Podemos afirmar de modo pertinente que a maior parte do atraso econômico do mundo pode ser explicada pela falta de confiança mútua." **Kenneth Arrow – Prêmio Nobel em Economia**

Para você que está iniciando carreira e deseja ser um gestor AdaptÁgil de alta performance, imagine como seria sua vida pessoal e profissional se não tivesse que reconhecer firma nem pagar imposto na fonte, se pudesse compartilhar seus projetos abertamente sabendo que ninguém iria se apropriar ou copiar o conteúdo, se os contratos fossem mais simples sem vaivéns, se a Constituição tivesse poucas leis mais abrangentes, se a comunicação corporativa não precisasse ser sempre "registrada via e-mail", enfim... Você consegue imaginar como isso reduziria custos para as organizações em geral?

Covey sumariza essa relação em uma fórmula simples: quanto maior a confiança, maior a velocidade e menor o custo.

Capítulo 8

Construa confiança e uma relação de respeito

▲ CONFIANÇA = ▲ VELOCIDADE + ▼ CUSTO

O segundo gráfico tem uma relação ainda maior com o que vemos nas empresas. A cada ano, elas investem milhões de dólares para fazer "pesquisa de clima", justamente para medir como o time está em termos de motivação e felicidade, medindo também os pontos de melhoria. Por que as empresas gastam tanto com isso? A resposta não tem mistério: porque deixar as pessoas trabalharem felizes dá maior resultado: aumenta sua eficiência, impulsiona sua criatividade, estimula sua agilidade, entre outros efeitos. E isso atrai e retém os melhores profissionais, responsáveis por impulsionar ainda mais a performance da empresa.

O que não se diz é que "felicidade" e "confiança" são fatores diretamente ligados. Para demonstrar, Covey correlaciona, no gráfico abaixo[3], o resultado do percentual de quem afirma que "as outras pessoas são de confiança", obtido pela pesquisa *World Values Survey* (Pesquisa de Valores Mundiais), com a pontuação de "felicidade de um povo" (de 0 a 100), medida por uma pesquisa do Instituto Gallup. Veja que, quanto maior a relação de confiança de um povo, maior sua "felicidade declarada" também.

Agora, se no ambiente organizacional, como disse, a felicidade, ou o bem-estar, dos colaboradores está diretamente relacionada ao nível de performance do time,

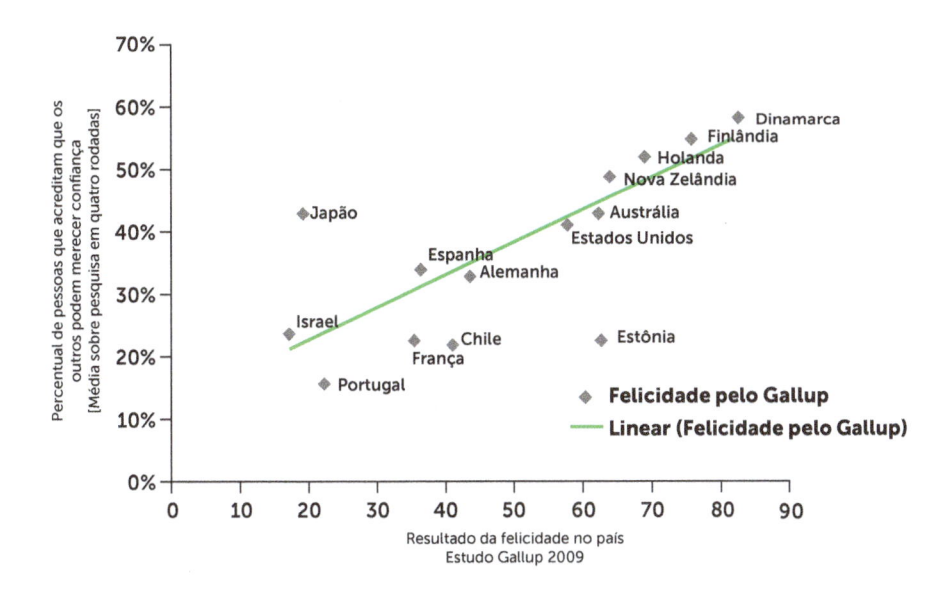

então, uma de suas responsabilidades como líder AdaptÁgil é influenciar o clima de forma positiva. E para você ser bem-sucedido nisso, pelo visto, o caminho é construir confiança entre as pessoas.

L1 L2 L3 L4 L5 L6

Um dos maiores achados para mim sobre o impacto da confiança na motivação do colaborador (*veja mais sobre motivação no passo L5*) é de John Helliwell, Haifang Huang e Robert D. Putnam[4], que se consagraram com um estudo no Canadá demonstrando que **10% de variação no nível de confiança no ambiente de trabalho** têm o mesmo impacto no nível de satisfação do colaborador do que um aumento de 40% em seu salário. Outro dado interessante é o levantamento do livro *Confiança Inteligente* (Smart Trust), que, ao analisar a pesquisa "As 100 Melhores Empresas para se Trabalhar", da revista *Fortune*, revelou que as organizações de alta confiança superaram em 288% o desempenho da média do mercado nos 13 anos analisados do estudo (de 1998 a 2010).

Ou seja, se você está começando sua carreira de líder, anote este conselho: vale muito a pena que você, seu time e sua organização invistam muito tempo e recursos na criação de um ambiente de trabalho com alto grau de confiança. É isso que vai aumentar a agilidade do grupo para se adaptar rapidamente ao lidar com desafios inesperados e obter alta performance.

> "O caráter torna possível a confiança. E a confiança torna possível a liderança. Esta é a lei da base sólida."[5] – *John C. Maxwell*

B Construindo a confiança como líder com o time

> "Você não constrói confiança falando dela. Você constrói conseguindo resultados, de forma íntegra e que mostre a verdadeira preocupação pessoal com as pessoas com as quais você trabalha." – *Craig Weatherup – ex- CEO e Presidente do Conselho da Pepsi.*

Lembro-me da aula de Gestão de Mudanças que tive com o doutor em psicologia James Davis, da Universidade de Notre-Dame, em que ele disse uma frase que nunca mais esqueci e que para mim se tornou referência em desenvolver confiança: "Confiar em alguém é tornar-se vulnerável."

Antes de seguir analisando a definição do Dr. Davis, convido você a pensar um pouco em si mesmo e em seus relacionamentos.

Capítulo 8 — Construa confiança e uma relação de respeito

REFLEXÃO DE LÍDER

- *Você tem se permitido ficar vulnerável, ou seja, correr risco caso alguém "passe você para trás" e não cumpra o prometido?*

- *Existem pessoas em seu círculo íntimo, nas quais você realmente pode confiar, simplesmente por ter certeza de que vão cumprir o que falaram que fariam?*

- *Quando diz às pessoas que fará algo por elas, sente que realmente acreditam e delegam a função a você? Ou elas buscam "se precaver" com um plano B caso não dê certo?*

A provocação de meu professor foi ampla e me levou a pensar no seguinte aspecto: mesmo que eu tivesse sofrido algum trauma com relação a quebras de confiança com pessoas que deixaram de atender minhas expectativas, tinha que depositar confiança nos outros, delegar, deixar que fizessem com mínima supervisão (*lembre-se de que, na Liderança Situacional II®, o nível de delegação varia de acordo com o nível de desenvolvimento do indivíduo*), senão as pessoas não confiariam em mim, justamente por não confiar nelas. Isso é um ponto fundamental na construção de confiança – ou você confia e fica vulnerável ao que as pessoas vão fazer, ou simplesmente elas também não vão confiar em você.

No início da Enora Leaders, entre 2009 e 2010, eu tinha um parceiro muito próximo em São Paulo que me apoiava no desenvolvimento dos conteúdos para nossos cursos. Uma das nossas grandes discussões era justamente sobre quem seriam os clientes que ele atenderia diretamente e quais seriam atendidos pela nossa empresa. Nesse ínterim, comecei a trabalhar como diretor comercial na empresa desse parceiro, desenvolvendo tanto os clientes para que ele atendesse diretamente, como aqueles para a Enora, no interior do Estado de São Paulo. Um dia, ele, que era uma pessoa próxima desde minha época da faculdade, me acusou de estar sendo "um concorrente dele dentro dos clientes". Sinceramente, tudo que eu fazia naquela época era tentar gerar mais negócios para a empresa, que de fato era dele, justamente para valorizar o voto de confiança que ele havia me dado naquela ocasião com aquele cargo executivo em sua empresa.

Essa acusação caiu como uma bomba sobre mim. Imediatamente, mudei meu temperamento. Parei de falar com ele por estar realmente indignado. Pela minha perspectiva, eu estava fazendo o melhor que podia para beneficiá-lo, enquanto ele tinha outra percepção que o levou a me acusar de concorrência desleal. Bem, foi ali mesmo o fim de nossa parceria e amizade, até hoje.

Como líder, você tem a responsabilidade de não deixar esse tipo de situação acontecer. Precisa conseguir controlar sua desconfiança e não deixá-la aparente. Lembro-me da frase (muito comum no Brasil) que meu parceiro profissional e de confiança na Enora há quase uma década, Renato Fontana, disse: "A maldade está nos olhos de quem vê. Se ele está desconfiado, deve ser porque está fazendo algo errado conosco." É incrível a sabedoria popular nesta frase, pois ela se encaixou perfeitamente naquele momento! Constatei depois que a separação desse parceiro foi um acontecimento crucial para o crescimento da Enora Leaders, desde a sua fundação.

Portanto, lembre-se de que isso que aconteceu comigo pode acontecer com qualquer um. Vale todo cuidado em medir bem as palavras, especialmente quando você não tem convicção das suas suspeitas, nem tem certeza se pode arcar com as consequências de um provável rompimento de confiança.

Segundo Stephen M. R. Covey[6], existem 13 comportamentos principais que podem apoiar você na construção de confiança ao ocupar uma posição de líder:

Capítulo 8 — **Construa confiança e uma relação de respeito**

#	Comportamento	Base do Comportamento
#1	Fale de forma direta	Caráter
#2	Demonstre Respeito	Caráter
#3	Crie Transparência	Caráter
#4	Admitir os erros	Caráter
#5	Demonstrar Lealdade	Caráter
#6	Entregar Resultados	Competência
#7	Melhoria Contínua	Competência
#8	Confrontar a Realidade	Competência
#9	Esclarecer a Expectativa	Competência
#10	Praticar o senso de responsabilidade	Competência
#11	Ouvir primeiro	Caráter e Competência
#12	Manter Compromissos	Caráter e Competência
#13	Estender a Confiança	Caráter e Competência [41]

Fonte: Adaptado de *A Velocidade da Confiança*, de Stephen M. R. Covey e Rebecca R. Merrill, 2007[7].

Em 2013, tive o prazer de participar de um seminário de Ken Blanchard com Stephen M. R. Covey (*filho*), na, então, ASTD (*hoje ATD*) em Dallas, EUA. Foi muito interessante ver os dois concordando sobre a importância do tema "confiança" para a liderança. Ken estava na ocasião lançando seu livro *Trust Works!*[8] (tradução livre: Confiança Funciona!) e reforçou muito a importância da confiança para a performance.

O que eu mais gostei na abordagem de Ken Blanchard foi a simplificação dos comportamentos do líder que geram confiança em quatro dimensões principais. Em inglês, elas formam a sigla ABCD (Able, Believable, Credible e Dependable)[9], que adaptei para o português como os "4Cs da Confiança": Capaz, Crível, Conectado e Correspondente. Veja na tabela ao lado alguns comportamentos sugeridos pelos autores que podem apoiar você a construir confiança de forma mais estruturada.

Discutindo sobre o livro *Trust Works* com o próprio autor, Ken Blanchard.

A partir dos ensinamentos do Trust Works!, criei um instrumento simples, sem embasamento psicométrico, para apoiar você a descobrir seu modo mais natural no processo de construção de confiança com os outros e também para que você saiba quanto tem utilizado dos quatro estilos de criação de confiança para ser mais efetivo em obter resultados.

A EXERCÍCIO DE AUTOCONHECIMENTO

Descubra qual o estilo que você mais tem utilizado para construir vínculo com as outras pessoas!

Faça a autoavaliação online
https://flaps.enora.com.br/assessments/4cs

Capítulo 8 — Construa confiança e uma relação de respeito

os 4C's da Confiança

✓ CAPAZ
Demonstre capacidade

- Consiga resultados de qualidade
- Resolva problemas
- Seja bom no que você faz
- Use suas habilidades para atender os outros
- Tente ser o melhor no que faz

CRÍVEL
Aja com integridade

- Mantenha as confidências dos outros
- Admita estar errado
- Seja honesto
- Não fale pelas costas dos outros
- Seja sincero

CONECTADO
Preocupe-se com os outros

- Ouça bem
- Elogie os outros
- Demonstre interesse em outros
- Compartilhe sobre você
- Trabalhe bem com os outros
- Coloque-se no lugar dos outros
- Peça sugestões

CORRESPONDENTE
Mantenha fidelidade

- Faça o que disse que iria fazer
- Seja pontual
- Responda as pessoas
- Seja organizado
- Seja responsável
- Faça *follow up* sobre os assuntos
- Seja consistente

Fonte: Traduzido e adaptado por João Marcelo Furlan, do livro *Trust Works* (Blanchard, Ken; Olmstead, Cynthia; Lawrence, Martha. ABCD Trust model é marca registrada Blanchard Companies.

✏️ ATIVIDADE NO CANVAS

- *Qual foi o resultado com relação ao seu estilo de construção de confiança? Qual é, portanto, a técnica que está mais "fluente" hoje na construção de confiança?*

- *Qual foi sua nota geral no instrumento? Como está sua assiduidade em utilizar os diferentes estilos para construção de confiança?*

- *Conectando com o exercício que fez no passo anterior (L2), qual seria o estilo de construção de confiança que você acredita estar mais alinhado para cada membro de seu time com base em seu estilo comportamental?*

L3 – CONSTRUA CONFIANÇA E UMA RELAÇÃO DE RESPEITO

- *Meu estilo de construção de confiança:*

- *Qual é o melhor estilo de construção de confiança com seus liderados/parceiros:*

COMO RECONSTRUIR A CONFIANÇA?

"O bom caráter de um líder produz confiança entre seus seguidores. Mas, quando um líder quebra a confiança, ele perde a capacidade de liderar."[10] - Stephen M. R. Covey

É interessante como é válido, tanto para a vida pessoal quanto profissional, o ditado que diz "liderança é difícil de conquistar, mas muito fácil de perder". Sempre sou questionado durante os cursos, quando abordo o tema confiança: "João, se confiança é assim tão importante para Liderança, Negociação e Resolução de Conflitos, como faço para reconstruir confiança com alguém com quem perdi esse vínculo?". Minha resposta sempre é a mesma: é realmente muito difícil reconstruir confiança com alguém que você perdeu essa relação. Porém, existe um método que há anos venho ensinando, baseado nos estudos de William P. Bottom, Kevin Gibson, Steven E. Daniels e J. Keith Murnighan (2002) e apresentado por Leigh L. Thompson em seu livro *O Negociador*[11] *(The Mind and Heart of the Negotiator)*. A base do método é que você deve procurar a pessoa, adotar humildemente a posição de querer resolver aquela situação e assumir que errou (note que admitir o erro é algo que surte efeito imediato para apoiar você imensamente nessa retomada de confiança).

Construa confiança e uma relação de respeito

OS 10 PASSOS PARA RETOMAR A CONFIANÇA

- **#1** Sugira um encontro pessoal
- **#2** Ponha foco no relacionamento
- **#3** Peça desculpas
- **#4** Deixe a pessoa falar
- **#5** Não fique na defensiva
- **#6** Peça por informação esclarecedora
- **#7** Teste sua compreensão
- **#8** Formule um plano
- **#9** Pense em formas de prevenir futuros problemas
- **#10** Faça um "check up" de rotina no relacionamento

Muitas vezes, a pessoa com a confiança ferida simplesmente não vai querer receber nem ouvir você. De qualquer forma, se isso acontecer, enviar um e-mail se desculpando é ainda melhor do que não fazer nada só porque a pessoa não quis recebê-lo. Ao dar esse primeiro passo, enviando uma mensagem para se desculpar, com o tempo a outra parte tende a ceder, sabendo que você está engajado em reconstruir a relação de vocês. Se o outro simplesmente não vir vantagem alguma em se reconectar com você, aí seu trabalho de reconstrução de confiança vai ficar ainda mais difícil (*quando tratar de "respeito", mais à frente, vou voltar a tocar neste ponto*).

Caráter constrói Respeito. Respeito constrói Confiança.

CARÁTER ▶ RESPEITO ▶ CONFIANÇA

"Quando as pessoas o respeitam como indivíduo, o admiram. Quando o respeitam como amigo, o amam. Quando o respeitam como líder, o seguem." John C. Maxwell

COMO CONSEGUIR RESPEITO:

> "Quando você internamente não tem caráter, não consegue granjear apoio externo. E o respeito é fundamental para uma liderança duradoura: tomando decisões sensatas, admitindo seus erros e colocando aquilo que é melhor para seus seguidores e a organização acima de seus interesses pessoais." John C. Maxwell
> – As 21 Leis Irrefutáveis da Liderança

Como construir respeito, segundo John C. Maxwell:

Tomar decisões sensatas

Tomar decisões que façam sentido para as pessoas quando a julgarem.

Admitir seus erros

Assim como admitir erros é importante para a construção de confiança, isso também representa um importante papel na construção de respeito. Admitir erros demonstra coragem. E coragem, desde que na medida certa, aumenta muito o nível de confiança das pessoas depositado em você – não adianta também um general ir sozinho à frente do batalhão e ser o primeiro a morrer no *front* de batalha. Muitas pessoas acreditam que, ao admitir um erro, o líder perde o respeito do time. Isso pode até acontecer em certas ocasiões, quando o time ou pares estão voltados contra você e precisam somente de um "bode expiatório"[12]. No entanto, quando a outra pessoa vê que você admite seus erros, na verdade ela se sente mais confortável, pois se dá conta de que, caso algo errado aconteça, você vai admitir seus deslizes quanto antes para que, juntos, possam encontrar uma solução.

Importância coletiva

Coloque aquilo que é mais importante para seus seguidores e organização acima de seus interesses pessoais.

Caráter é algo ainda mais difícil de ser construído, já que ele representa a própria personalidade do indivíduo. Quando respeitamos uma pessoa pelo seu caráter, em geral, estamos reverenciando sua integridade, o fato de fazer o que diz, de se preocupar efetivamente com outras pessoas, etc. Nesse sentido, John C. Maxwell oferece também uma orientação para o desenvolvimento do próprio caráter.

Capítulo 8 — **Construa confiança e uma relação de respeito**

As três áreas principais para construção de caráter

1 Integridade – Assuma o compromisso de ser absolutamente honesto, mesmo que isso doa. Não mascare a verdade, não conte mentiras inocentes, nem invente números.

2 Autenticidade – Seja você mesmo com todos, não interprete ou finja ser quem não é.

3 Disciplina – Faça as coisas certas todos os dias, independentemente de como estiver se sentindo.

ATIVIDADE NO CANVAS

Complete o Mapa de Conexões do Canvas, localizado na segunda parte do passo L3. A pessoa que está simbolizada no meio do círculo é você. Você vai dar nota para o grau de confiança que cada pessoa tem com você, lembrando que a nota 1 é quando a pessoa está no seu primeiro ciclo de confiança e a nota 5 é quando, por algum motivo, a pessoa está mais longe de você e é preciso resgatar a confiança dessa pessoa. Depois disso, você deve colocar a nota de confiança que você deposita nas mesmas pessoas já citadas.

Mapa de conexões
Sinalize o grau de confiança que cada pessoa tem em você, sendo mais perto mais confiança, e vice-versa.

Minha confiança na pessoa | Confiança da Pessoa em mim

5 4 3 2 1 | 1 2 3 4 5

C Autoconfiança

Como visto no método das Vogais da Liderança (capítulo 5), a autoconfiança, que nasce do autoconhecimento (vogal A), é um dos principais alicerces para que alguém possa liderar. É a autoconfiança que permite também que os outros sigam você. Para aumentar sua confiança em você mesmo, podemos avaliar os seguintes fatores: i) Autoconsciência do nível de competência, ii) Destaque Positivo e iii) Consistência em fazer o que diz que vai fazer.

i) Autoconsciência do nível de competência

Quando faço o diagnóstico do time, gosto de associar os conceitos do modelo LSII® ao modelo da Gordon Training International, que relaciona "competência" e "consciência" de forma simples, como uma escada. Esse modelo chama-se "os 4 Estágios da Competência" e analisa quão consciente o indivíduo está de seu nível de desenvolvimento atual. O modelo propõe que quanto mais vivenciarmos uma nova função ou uma nova atividade, mais conquistaremos autoconfiança, tornando a tarefa de desempenhar essa determinada função mais natural para nós.

Nível 1 – Inconscientemente Incompetente (II)

Este nível lembra o D1 do modelo Liderança Situacional II®. O jovem aprendiz está empolgado com as novas tarefas e quer mostrar serviço, porém simplesmente não sabe das dificuldades que terá para desempenhar as tarefas em questão.

Nível 2 – Conscientemente Incompetente (CI)

Neste ponto, o aprendiz começa a ver que não é tão fácil quanto pensava. Ele descobre que tem diversas tarefas que não consegue fazer tão bem quanto seus colegas que a fazem há mais tempo.

Nível 3 – Conscientemente Competente (CC)

A partir deste momento, o colaborador já não é mais um aprendiz, ele sabe o que tem que fazer e sabe como fazer. Ele sabe que sabe.

Nível 4 – Inconscientemente Competente (IC)

O hábito de realizar a função ou tarefa diversas vezes simplesmente "passa" a tarefa para o lado inconsciente e automático do cérebro, o que o

Daniel Kahneman chama de "sistema 1" ou sistema rápido em seu livro *Rápido e Devagar* (*Thinking, Fast and Slow*). Nesta etapa, a pessoa já realiza com perfeição, sem esforço adicional, de forma automática.

> Você, como qualquer aprendiz, passa por essas fases. Pense na primeira vez que teve que digitar algo no computador ou que foi dirigir um carro. O mesmo acontece na liderança e gestão de pessoas. Quanto mais praticar, mais natural vai se tornar para você e, assim, maior vai ser a sua confiança em você mesmo.

Inconscientemente competente (IC)
Conscientemente competente (CC)
Conscientemente incompetente (CI)
Inconscientemente incompetente (II)

ii) Destaque positivo

Quando não recebe feedbacks frequentes que reforcem sua evolução, seu crescimento pessoal e profissional, você mesmo pode realizar esse processo como forma de construção de autoconfiança. Recentemente, descobri um dado muito interessante da pesquisa de um dos maiores neurocientistas da atualidade, David Rock, em seu livro **Liderança Tranquila** (*Quiet Leadership*):

"As pessoas recebem, em média, apenas alguns minutos de feedback positivo por ano versus milhares de horas de feedback negativo. Quando pedi às pessoas para calcularem quantas vezes praticam a autocrítica, para somar o número de horas que gastam nessa estrutura mental, a resposta foi incrível. O menor número apresentado foi de quinhentas horas por ano, chegando a totais acima de duas mil horas."[13]

Essa é uma proporção alarmante. Significa que, por mais que os feedbacks para nosso desenvolvimento sejam extremamente benéficos (veja capítulo 10), a forma como os recebemos coloca em xeque nossa autoconfiança.

Para trabalhar com esse ponto, David Rock sugere um exercício para "destacar o positivo", realizando um autorreconhecimento em três passos:

1. Preste atenção ao que você faz bem, aos desafios superados, aos medos vencidos.

2. Escolha um item por dia para autorreconhecimento, por pelo menos três dias.

3. Procure fazer isso ao final do dia, antes de dormir, quando sua mente está mais calma.

Conhecendo seus pontos fortes, seu próximo exercício vai ser associar a maneira como você pode utilizar essas fortalezas para resolver questões comuns.

Por exemplo, se você é uma pessoa altamente criativa, por que não utilizar criatividade em "resolução de conflitos", criando novas alternativas para solucionar uma divergência? Ou, se é uma pessoa muito "conectada" a outras pessoas ou inovações, por que não usar isso para criar novos serviços para a empresa ganhar tempo e competitividade ou gerar melhorias em processos para reduzir custos ou atritos entre diferentes áreas?

iii) Consistência

Assim como sugere o estilo Correspondente, do modelo dos "4Cs da Confiança", não se esqueça de ser honesto com você mesmo, corresponda ao que promete, prometa o que pode fazer, seja fiel a quem é fiel a você.

Costumo ilustrar este ponto com uma situação que mostra bem como a consistência apoia a confiança. Imagine que você vai fazer um curso de uma semana com um colega. Como ele tem carro e você não, ele se compromete em dar carona a você todos os cinco dias do curso, que começa às 8 horas da manhã.

No primeiro dia é ótimo, ele passa na sua casa às 7h15 e vocês chegam no horário. No segundo dia, ele chega às 8h15 e já começa com um "sabe o que é...". No terceiro dia, ele passa às 7h30, mas dá tempo de chegarem ao curso no horário. No quarto dia, ele vem às 9 horas e você nem consegue entender a explicação dele. No quinto dia, o que você faz? Vai de carona com ele?

Capítulo 8 — Construa confiança e uma relação de respeito

Acontece a mesma coisa quando somos inconsistentes com as pessoas. Então, para evitar que os outros percam a confiança em você, quando perceber que não vai conseguir cumprir algo, seja transparente. Se aparecer dificuldades para atender ao prazo de um projeto, por exemplo, antes da data que estava prevista, avise para o requisitante. "O combinado não é caro", como se diz. Ou seja, quando as duas partes ficam cientes das dificuldades, mesmo que aconteça algo fora do que era esperado, provavelmente você vai continuar sendo visto como uma pessoa confiável.

REFLEXÃO DE LÍDER

- Quando pede algo para as pessoas de sua equipe ou colega fazer, ele realmente o apoia? Como você sente que eles recebem seu pedido?

- Se hoje pudesse delegar algo importante para seu trabalho, como a gestão do orçamento da área, para quem você delegaria?

- Se seu time ou colegas (caso não tenha ainda time) tivessem que dar a você uma nota de 0 a 10 em termos de "é uma pessoa muito confiável", qual nota acredita que receberia?

APERTE O CINTO, É HORA
de decolar!

Capítulo 9

L4: COMPARTILHE SUA VISÃO, ENVOLVA E OUÇA O TIME. INFLUENCIE

A hora da verdade chegou! O avião taxiou e está com toda a pista à frente. É hora de decolar! O que falta? Falta o voo em si, a parte principal, o início da jornada e um dos momentos mais arriscados de um voo, a decolagem. Você precisa garantir que todos estão alinhados, a postos, concentrados, prontos para fazer sua parte, sabendo aonde querem chegar... A última coisa que você deseja é que a comissária de bordo acione o sistema de anúncio de cabine e fale: "Bem-vindo ao voo 7847, com destino à Macapá..." e que ela seja interrompida por todos os passageiros, questionando se aquele voo não é (e sim, ele é) para Recife. Você tem que garantir que todos saibam o destino e qual a sua responsabilidade para chegar a ele.

Veja que, até aqui, tudo o que apresentei foi para preparar você para compartilhar e envolver seu time com sua visão. No passo L1, você viu a importância de um líder criar o propósito de sua viagem (por que), definir o destino aonde gostaria de chegar (onde) e a forma pela qual vai seguir esse caminho (como). Depois, no passo L2, você aprendeu como conhecer melhor sua equipe e, no passo L3, você pôde entender melhor como se constrói confiança, para conseguir se conectar de forma empática, colocando-se no lugar de cada seguidor.

Com esses fundamentos, você vai poder estabelecer a base necessária para se comunicar melhor, ouvir e envolver seu time, aprimorando sua capacidade de se adaptar com agilidade. Agora, a forma de comunicação que você moldar vai influenciar as pessoas a seguir você no papel de líder AdaptÁgil, justamente com base aonde quer chegar, por que e como. Então, vamos seguir nesta jornada?

Capítulo 9

> Compartilhe sua visão, envolva e ouça o time. Influencie.

A | COMPARTILHE SUA VISÃO
iniciando a comunicação de líder

O primeiro passo para uma comunicação eficaz como líder é estabelecer com seu time *rapport*. Esta palavra francesa teve origem na psicanálise e descreve a circunstância em que o paciente e o terapeuta obtêm uma condição de grande confiança entre eles, com mesmo nível de energia, para poderem trocar informações de forma aberta, sobretudo para que o paciente possa revelar seus pensamentos.

Em comunicação, *rapport* quer dizer que o emissor tenta adequar seu nível de energia, gestual e linguagem para ser mais facilmente compreendido por seu interlocutor. Em outras palavras, significa criar sintonia com o outro para que as partes possam se relacionar com mais afinidade. Segundo Daniel Goleman, especialista em Inteligência Emocional, "*rapport* nos faz sentir bem, gerando um brilho harmonioso onde cada pessoa sente o calor, compreensão e genuinidade do outro. Essa sensação mútua de afeição cola os laços entre as pessoas, independentemente de quanto tempo se conhecem[1]".

Em seu livro *Inteligência Social: A nova ciência nas relações humanas (Social Intelligence: The New Science of Human Relationships)*, Goleman menciona três métodos que seu professor em Harvard, Robert Rosenthal, usava para construir *rapport*:

Atenção mútua

Compartilhar a atenção é sempre o primeiro ingrediente essencial. As duas pessoas atendem ao que o outro fala e faz, gerando um senso de interesse mútuo. O foco conjunto funciona como uma cola perceptiva. Essa atenção de "duas mãos" dispara os sentimentos compartilhados.

L1 **L2** **L3** **L4** **L5** **L6**

Comunicação não verbal sincronizada

Tempo da fala, expressão facial, corporal e tom de voz têm participação importantíssima nesta fase. Pessoas em *rapport* estão animadas, expressando livremente suas emoções. Elas são espontâneas, estão com seus "neurônios espelho" a toda força, trabalhando como em uma dança coreografada.

Compartilhamento de sentimentos positivos

Quando compartilha a visão, o líder tem que demonstrar energia, força, convicção, vontade de alcançar a nova visão.

O PROCESSO DE COMUNICAÇÃO

A comunicação é um processo, em princípio, simples. No entanto, por fatores humanos (como tipos psicológicos distintos) ou ambientais (como pressão do dia a dia), o ritmo e o tom com os quais as pessoas se expressam, por exemplo, podem complicar a eficácia desse processo. Como pode ver na imagem abaixo, existem dois agentes na comunicação – o emissor e o receptor.

> O emissor, que inicia o processo de comunicação, codifica sua mensagem para transmiti-la por um canal que selecionou ou que tem disponível na ocasião (***vou falar mais disso à frente***) e, ao ser recebida, a mensagem é decodificada e interpretada pelo receptor.

O processo de comunicação (parcial)

EMISSOR CODIFICAÇÃO — **MENSAGEM** — **RECEPTOR DECODIFICAÇÃO**

Capítulo 9 — Compartilhe sua visão, envolva e ouça o time. Influencie.

B | OUVINDO E ENVOLVENDO a sua equipe

É curioso notar como nós aprendemos a vida toda que o processo de comunicação tem apenas uma direção, do emissor para o receptor. Na verdade, o processo não termina aí. Como todo ser vivo, nós, seres humanos, respondemos ao ambiente. E no caso desta comunicação, o receptor emite uma resposta ao emissor, que será interpretada por este último como um feedback. Esse, sim, seria o processo completo: falar, mas acima de tudo OUVIR, escutando com atenção não somente o que as pessoas dizem, mas também aquilo que elas não dizem, sua comunicação não verbal.

O processo de comunicação (completo)

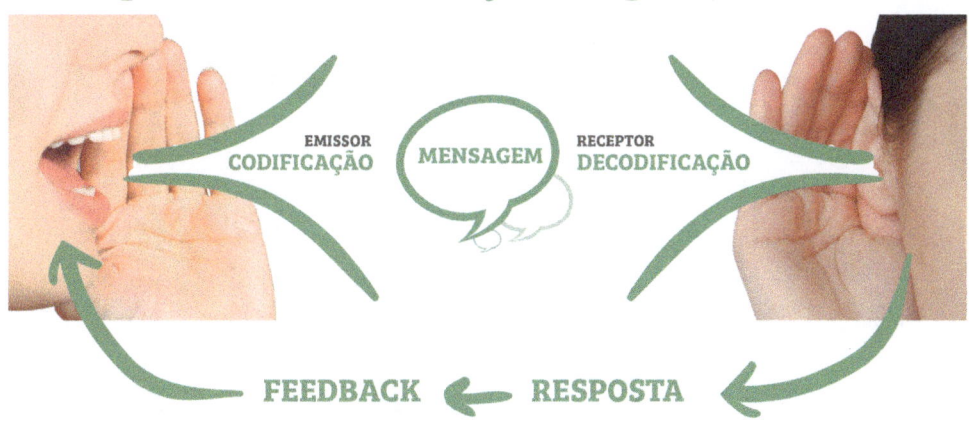

EMISSOR CODIFICAÇÃO → MENSAGEM → RECEPTOR DECODIFICAÇÃO

FEEDBACK ← RESPOSTA

SELECIONE O MEIO MAIS RICO PARA A COMUNICAÇÃO

Existe uma parte da comunicação que, na verdade, não é feita de forma falada, conhecida como **comunicação não verbal**. Ela é aprendida por nós ao longo da vida e, muitas vezes, seu poder é menosprezado por nós mesmos. Uma pesquisa[2] do professor emérito de psicologia da UCLA, Albert Mehrabian, mostra que apenas 7% do impacto de nossa comunicação causado no receptor ocorre com base nas palavras, ou seja, é verbal; enquanto, 38% desse impacto é causado com base no nosso tom de voz (ritmo, nível de voz e pausas); por fim, 55% ocorre pelas expressões faciais e pelo gestual. Vale ressaltar que esse estudo, realizado durante a década de 70, avaliou situações de grande ambiguidade, em que o receptor não sabia exatamente o que o emissor queria comunicar. Portanto, embora válido para ilustrar como nos comunicamos, não pode ser usado como regra geral.

Hoje, por causa das novas tecnologias, diversos meios de comunicação instantânea são cada vez mais utilizados, impactando a compreensão fiel da mensagem transmitida entre as pessoas. Sem contar que a maior parte desses canais de comunicação limita muito a captação das sutilezas da expressão vocal e gestual.

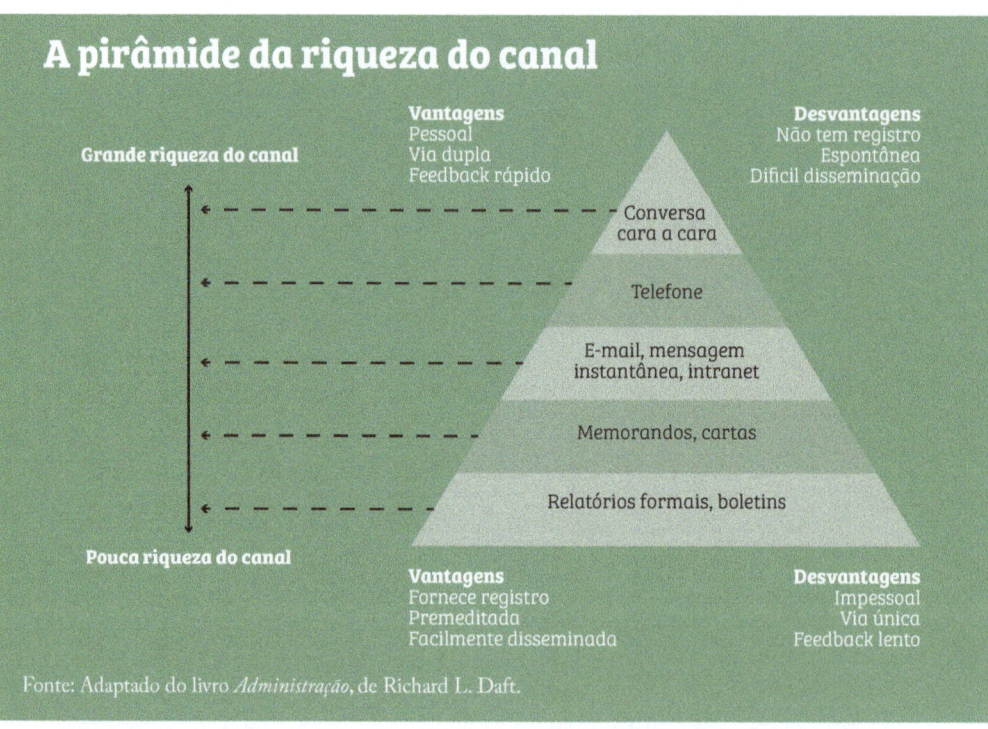

A pirâmide da riqueza do canal

Grande riqueza do canal

Vantagens
Pessoal
Via dupla
Feedback rápido

Desvantagens
Não tem registro
Espontânea
Difícil disseminação

- Conversa cara a cara
- Telefone
- E-mail, mensagem instantânea, intranet
- Memorandos, cartas
- Relatórios formais, boletins

Pouca riqueza do canal

Vantagens
Fornece registro
Premeditada
Facilmente disseminada

Desvantagens
Impessoal
Via única
Feedback lento

Fonte: Adaptado do livro *Administração*, de Richard L. Daft.

Provavelmente você já experimentou isso. Sabe aquela situação em que você diz algo para uma pessoa e, quando ela responde a você, o comentário dela simplesmente não tem nada a ver com o que você realmente quis dizer? O que causa essa "má interpretação", impedindo a pessoa de conseguir interpretar 100% do que você falou, são os chamados **ruídos de comunicação**. São interferências ou qualquer elemento que distorce ou impede a eficácia da comunicação. Esses "obstáculos" podem ser gerados por motivos ambientais, como o próprio barulho do ambiente, ou por fatores interpessoais, como uma simples distração (quando a mente do receptor vai para

Capítulo 9 — Compartilhe sua visão, envolva e ouça o time. Influencie.

outro pensamento e se "desliga" do que o emissor está falando) ou pelo tipo de codificação (pessoas que falam idiomas diferentes, por exemplo). Lembro-me de que, quando estava nas Filipinas, tinha que falar com os chineses para fazer cotação de lâmpadas LED para um determinado produto que estávamos desenvolvendo. Ligava para diversas fábricas na cidade de Shenzhen, na China. Tínhamos enorme dificuldade de comunicação, já que eu codificava em inglês (com todo meu sotaque brasileiro), por exemplo, a seguinte mensagem: "Vocês possuem mini LEDs brancos disponíveis? Quanto custam?". Nas fábricas, era comum haver poucas pessoas que falassem inglês, mas sempre buscavam alguém para falar comigo. Em geral, nossa ligação terminava com uma das partes desligando, simplesmente desistindo de "decodificar" o que a outra parte estava falando. O próprio "desligar o telefone na cara" da outra parte é um feedback que nos transmite a mensagem "não estou entendendo nada".

Reduzindo os pontos cegos

Quando você comunica sua visão de liderança é ainda mais importante ter certeza de que está utilizando uma forma adequada para que a outra parte realmente compreenda o que você quer comunicar, especialmente quando é necessário redirecionar o time diante de novas circunstâncias. Muitas vezes, dependendo da forma como o líder fala ou dos sentimentos que transmite aos outros, pode ficar sem credibilidade quanto ao que está pedindo à equipe ou, então, pode diretamente não ser entendido ao passar sua mensagem. Nesse caso, gosto muito de refletir sobre a importância do feedback, sobretudo quando penso em pontos cegos.

> Em meados do século XX, os psicólogos americanos Joseph Luft e Harrington Ingham criaram o conceito de Janela de Johari (*aliás, o "Jo" desse nome vem de Joseph e o "Hari" de Harrington*). No modelo que montaram, é possível observar dois eixos. O primeiro traz o ponto de vista sobre o que sabemos de nós mesmos e o que não sabemos de nós mesmos. O segundo traz a perspectiva dos outros, mostrando o que sabem e o que não sabem sobre nós. A interface dos dois eixos formam quatro quadrantes.

Os quatro quadrantes da janela de JoHari:

	NÃO	SIM
SIM — Sua característica / comportamento é **conhecido por você**	OCULTO	ABERTO
NÃO	DESCONHECIDO	CEGO

Sua característica / comportamento é **conhecido pelos outros**

DESCONHECIDO
São comportamentos seus que você mesmo e as outras pessoas não sabem. Exemplo: você é um bom jogador de "polo"? Você não sabe? Bem, os outros provavelmente também não, pois você talvez nunca tenha jogado e, por essa razão, está no quadrante desconhecido.

Capítulo 9 — Compartilhe sua visão, envolva e ouça o time. Influencie.

OCULTO
São características ou comportamentos seus que somente você conhece, os outros não. Por exemplo: o que você julga que foi o dia mais feliz de sua vida de trabalho? Se você realmente souber, este é um ponto claro para você, mas as demais pessoas provavelmente não têm a menor ideia disso.

ABERTO
São comportamentos seus que todos sabem. Por exemplo, que você é quem joga melhor futebol no time da empresa.

PONTO CEGO
São características ou comportamentos seus que as demais pessoas sabem, mas você não. Por exemplo, quando você é uma pessoa desorganizada, mas não percebe esse seu modo de ser, nem enxerga como isso incomoda quem está à sua volta. Dessa forma, você depende dos outros, do feedback deles, para saber também.

O PONTO CEGO,

ou seja, o fato de que existem coisas sobre nós mesmos que não sabemos e dependemos dos outros para saber é um dos principais motivos de o feedback ser algo tão importante, especialmente para líderes. Muitas vezes, você pode achar que está sendo superpositivo e seguro ao transmitir sua visão, porém, se perguntar às pessoas, elas podem informar que você transmite o oposto, insegurança.

Considerando que, para reduzir o ponto cego, necessariamente você depende das demais pessoas, **aproveite cada oportunidade que tiver para pedir feedback**. Assim, quando estiver transmitindo uma nova visão, será muito importante aplicar um "teste de compreensão" nas pessoas, pedindo a um ou outro membro da equipe que reforce o que você comunicou. Quando conseguir confirmar que a mensagem foi de fato compreendida pelas pessoas corretamente, aí você vai poder seguir para os próximos passos da liderança.

A | EXERCÍCIO DE AUTOCONHECIMENTO

VOCÊ CONHECE SEUS PONTOS CEGOS?

Com este teste online, você vai poder se conhecer melhor a partir do feedback de seus colegas. Veja que é possível reduzir os pontos cegos, sua área oculta e o desconhecido. Para que isso aconteça, você só precisa se abrir mais às pessoas e pedir seu feedback.

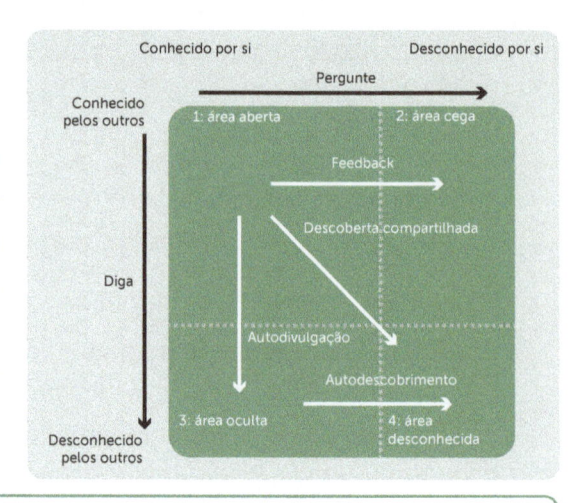

	Conhecido por si	Desconhecido por si
	Pergunte →	
Conhecido pelos outros	1: área aberta	2: área cega
	Feedback →	
	Descoberta compartilhada	
Diga ↓	Autodivulgação	
		Autodescobrimento →
Desconhecido pelos outros	3: área oculta	4: área desconhecida

ACESSE O FLAPS! ONLINE
https://flaps.enora.com.br/assessments/johari
Faça o teste e descubra qual é o seu ponto cego.

DIMINUINDO AS FONTES DE RUÍDO
Adaptando sua comunicação aos diferentes públicos

Um dos principais pontos abordados no passo L2 foi quanto ao fato de os indivíduos de um time apresentarem perfis comportamentais – ou preferências – distintos, com base em quatro tipos principais: D, I, S e C. Como líder AdaptÁgil, entender como você deve ajustar sua forma de se comunicar com cada um desses tipos na hora de compartilhar sua visão à equipe é fundamental para obter um envolvimento mais imediato de todos.

Mesmo porque, quando sob pressão, o perfil comportamental das pessoas tende a mudar. Conforme mencionei anteriormente, na última vez que respondi à autoavaliação DISC, meu perfil ficou como ID, porém quando estou sob pressão, meu perfil se altera para o perfil DI, ou seja, fico ainda mais objetivo e voltado a resultados. O líder adaptágil consegue não apenas observar e adaptar sua abordagem quando o ambiente pressiona seu time, como também filtrar as pressões externar para que seu time continue focado e entregue o melhor de si.

Capítulo 9

> Compartilhe sua visão, envolva e ouça o time. Influencie.

COMO COMPARTILHAR A VISÃO COM CADA TIPO[3]:

- Vá direto ao ponto, sem muitos rodeios.
- Mostre uma visão grande, algo que realmente tenha impacto na vida dele.
- Seja realista, caso soe como algo impossível, você vai perdê-lo.
- Mostre um ou outro dado que reforce seu ponto, por exemplo: "segundo o instituto X, 70% dos clientes estão comprando este novo serviço".

D

- Seja próximo, sorria.
- Valorize a participação dessa pessoa e destaque os aspectos da visão que dizem respeito às pessoas.
- Se possível, conte uma história que ilustre a visão.
- Reconheça a participação de toda a equipe para alcançar a visão.
- Envolva o cliente na visão, como será beneficiado.
- Se possível, mostre imagens, cores, de preferência valorizando a estética da imagem.
- Seja positivo, caso ele queira falar, deixe-o complementar o seu ponto na história. Dê abertura.

I

- Reforce que o time vai alcançar a visão em fases e que haverá bastante tempo para isso.
- Diga que ele será muito importante para cumprir a visão, que seu apoio será fundamental.
- Conte como acredita que a equipe vai chegar ao objetivo, quais são os passos e como ele vai ser envolvido em cada um deles.
- Fale devagar e pausadamente, não fale em um tom de voz muito alto. Seja gentil.

S

- Reforce o PORQUÊ da sua visão, se possível mostrando dados que embasem seu ponto.
- Se possível, envie artigos antes de compartilhar a visão em si ou compartilhe estudos que reforcem a importância de sua visão.
- Diga que a visão ainda não está fechada, que quer muito saber sua opinião, se possível por escrito nos próximos dias para elaborar a visão final. Dê o prazo que ele terá para retornar e informe o prazo que você vai ter para consolidar a visão final.
- Não fale tão rápido, mas mantenha-se no ponto central, sem grandes rodeios. Tente detalhar sem fugir do ponto.
- Mostre estrutura na sua argumentação – fale antes sobre os principais tópicos que vai abordar ao apresentar sua visão.
- Destaque a importância que a sua capacidade lógico-analítica tem para o sucesso do time em alcançar a visão.
- Reforce que as regras não serão mudadas ou que estarão claramente estabelecidas.

Fonte: Adaptado do livro *Communication-Skills Magic*, de E.G. Sebastian.

COMO GARANTIR QUE SUA COMUNICAÇÃO SERÁ LEMBRADA?

Por trabalhar com Educação há muitos anos, constantemente procuro referências que esclareçam como aumentar o grau de retenção de aprendizagem das pessoas sobre os pontos que passo na sala de aula, especialmente em apresentações plenárias. Existem muitos livros e fontes sobre o assunto, mas recentemente colegas meus me apresentaram os conceitos dos irmãos Chip e Dan Heath, que me agradaram bastante. Em seu livro Ideias que Colam *(Made to Stick)*, eles mostram como fazer para que uma ideia realmente permaneça, marque as pessoas, seja lembrada por elas, em oposição a discursos enormes, à *la* Fidel Castro, dos quais ninguém se lembra de nada depois.

Capítulo 9

> Compartilhe sua visão, envolva e ouça o time. Influencie.

Segundo os autores, simplesmente temos que nos ater a alguns princípios ao comunicar nossas ideias. Esses princípios, inclusive, exerceram grande influência na criação do método das "Vogais da Liderança", da Enora Leaders, e do próprio processo FLAPS! descrito neste livro. A seguir, os seis princípios que a dupla apresenta:

#1 | Simplicidade

Quando comunicar sua visão ao time, tente passar a ideia principal. Não fique enrolando. Será que você conseguiria transmiti-la para alguém em 30 segundos, tempo que um elevador leva para ir do térreo até o 10º andar de um prédio, caso só tivesse esse tempo para falar com alguém que quer influenciar?

#2 | Inesperado

O conceito passado deve ser inesperado, quebrar uma sequência lógica, despertar a curiosidade das pessoas. Por exemplo, quando mostrar uma imagem para representar sua visão clara de futuro, em vez de retratar um time vencendo, coloque, por exemplo, um astronauta fincando a bandeira na lua ou use um quadro famoso para representar a vitória. As pessoas vão prestar mais atenção e reter mais esse tipo de imagem original do que outras mais óbvias. Não à toa coloquei o "UHULLL" na letra U das "Vogais da Liderança". Foi justamente para romper com o previsível e garantir que o conceito seja mais lembrado.

#4 | Concretude

As pessoas querem solidez e tangibilidade na informação que está sendo passada. Isso pode ser feito com imagens, como mencionado no item anterior, ou com analogias – elas são poderosíssimas para comunicar sua visão. Por exemplo, se fosse contar que está em uma empresa de saúde onde as pessoas estão ficando muito doentes, você poderia usar a seguinte analogia: "somos hoje a verdadeira casa de ferreiro na qual espeto é de pau" ou se fosse dizer que sua equipe parece um pouco perdida nas estratégias e que deveria focar em uma visão única, você poderia citar: "mais vale uma andorinha na mão do que duas voando". São desses conceitos concretos que as pessoas vão se lembrar depois.

#4 | Credibilidade

Este é um dos pontos principais. Se criar uma visão mirabolante, que faça as pessoas sentirem que nunca vão conseguir concretizar ou que não vão ter condições de atingir, você perde o time. Envolver as pessoas para que parta delas a atitude de decidir se esse objetivo é realmente atingível é extremamente importante.

#5 | Anedotas ou Histórias

Há milênios, valores são transmitidos por meio de histórias às pessoas. Os chefes de tribos sempre se sentaram para contar histórias e manter a cultura de seus povos viva para as novas gerações. Você também pode usar esse recurso importantíssimo para que as pessoas do seu time conheçam suas histórias, seus heróis, os comportamentos que espera delas, o caminho para o qual você quer levá-las. Trata-se de um recurso essencial para que gravem sua Visão de Líder.

#6 | Emoções

Para aumentar o grau de influência e inspiração de sua Visão de Líder, é muito importante que se comunique com as pessoas tocando suas emoções. São elas que fazem as pessoas se moverem e realmente decidirem seguir você. Segundo Simon Sinek[4], autor do conceito "Círculo Dourado" *(veja seu vídeo no TED "Golden Circle")*, tanto as decisões mais intuitivas que tomamos, quanto nossas emoções são ativadas na mesma região do cérebro – chamada Sistema Límbico. Isso significa que você, como líder, só será capaz de engajar outras pessoas para sua visão, se, ao se comunicar com elas, tocar suas emoções. Como fazer isso? Sempre comece explicando por que sua visão é relevante – foi por isso que, ao criar sua Visão de Líder *(passo L1 do Canvas)*, você começou explorando o propósito. Então, lembre-se das emoções na hora de compartilhar sua visão com as pessoas.

SOBRE A INFLUÊNCIA

Influência é a chave de dois temas que tenho lecionado pelo Brasil: liderança e negociação. Ambos, por definição, são processos de influência. Em negociação, cada participante do processo de troca/concessões acredita que pode influenciar a contraparte para chegar a uma posição melhor que a inicial, caso contrário nem mesmo iniciaria a negociação – assumindo que atua com certa racionalidade, afinal é justo acreditar que ninguém quer sair da mesa de negociação pior do que entrou.

Capítulo 9 — *Compartilhe sua visão, envolva e ouça o time. Influencie.*

Já em liderança, a influência é a habilidade do indivíduo em comprometer as pessoas com um pedido seu de mobilizá-las em uma determinada direção para cumprir um objetivo – é a chave para se conseguir esta "mobilização".

Mas o que seria influência em si? Parece se confundir com o próprio ato de liderar. Segundo minha definição acima, influência é parte do processo de liderança, já que para liderar também é necessário que o líder tenha a habilidade de "enxergar", ou seja, de criar a visão em si, bem como de "comunicar" esta visão ao time, gerando engajamento e senso de urgência – lembrando que a rapidez em mobilizar o time é a chave do sucesso do líder AdaptÁgil. A melhor definição de influência que encontrei até hoje está no guia Influence: Gaining Commitment, Getting Results[5], publicado pelo Center for Creative Leadership (CCL). Nesse pequeno livro, os pesquisadores Harold Scharlatt e Roland Smith definem influência como "o poder e a habilidade para pessoalmente afetar ações, decisões, opiniões e a forma de pensar".

Ainda seguindo esses autores, pode-se observar três possíveis resultados quando uma parte é submetida às táticas de influência:

A | RESISTÊNCIA Quando outro indivíduo recusa-se a aceitar ou, até mesmo, opõe-se a seu pedido. Quem nunca teve a "honra" de se deparar com alguém "do contra"?

B | CONFORMIDADE A outra pessoa aceita seu pedido, porém, você, que está tentando influenciá-la, precisa garantir que ela cumpra a demanda por meio de regras e cobrança. Os colaboradores de multinacionais estão bem familiarizados com isso, já que "conformidade" é a tradução do termo inglês *compliance*, que também denomina um departamento das empresas responsável por "auditar e garantir que todos os colaboradores dessas organizações estejam seguindo as regras".

C | COMPROMETIMENTO Quando a outra parte aceita seguir seu pedido de forma voluntária, acreditando que você apresentou razões suficientes para garantir seu endosso, suporte e execução da tarefa requisitada.

L1 L2 L3 L4 L5 L6

Quando estudei negociação em Harvard, meu professor David Lax diversas vezes mencionou um dos maiores especialistas no tema, seu colega de Harvard Business School, Robert Cialdini[6]. Um dos principais pontos que ele destaca – e que aprendi a exercer diariamente – *é o investimento de tempo e foco em compreender as reais motivações de cada um, baseado em suas preferências comportamentais e cultura.* No âmbito cultural, por exemplo, Cialdini reforça que, para se influenciar uma pessoa de origem latina (espanhóis, italianos e, é claro, brasileiros), a tática mais adequada, levando-se em conta as características passionais desses povos, seria, ao se comunicar, usar fatores como amizade, amor e intimidade pessoal, que tocam o lado emocional. Por outro lado, para se influenciar pessoas de origem germânica, o ideal seria usar argumentos envolvendo o âmbito da razão, como fatos, pesquisas e transparência nos dados, por exemplo.

No entanto, em minha opinião, ninguém foi mais longe que o *expert* Gary Yukl em seu livro *Leadership in Organizations*, em que apresenta ao todo **11 Táticas de Influência,** que nada mais são do que estratégias ou ações para alcançar objetivos por meio de outros indivíduos.

Como aplicar as táticas?

Segundo Yukl, é possível também combinar as táticas de influência, sobretudo as mais efetivas, como a Persuasão racional e o Apelo inspiracional. A seguir, o guia que ele sugere para a aplicação das principais táticas de influência:

AS 11 TÁTICAS DE INFLUÊNCIA
e suas formas de aplicação

Capítulo 9

> **Compartilhe sua visão, envolva e ouça o time. Influencie.**

tática de influência   eficácia   ideal para
#1 | Persuasão Racional
★★★★   **D** I S **C**

Você utiliza argumentos lógicos e evidenciais baseados em fatos para mostrar que seu pedido para uma proposta é possível e relevante para conseguir atender a requisitos importantes da tarefa.

aplicação
- Explica em detalhes por que uma solicitação ou proposta importante
- Usa fatos e lógica para deixar as coisas claras e apoiar os argumentos da solicitação ou proposta
- Fornece evidências de que uma solicitação ou proposta é factível
- Explica por que uma proposta é melhor do que as demais

tática de influência   eficácia   ideal para
#2 | Apelo Inspiracional
★★★★   D **I** **S** C

Você apela aos valores e ideais da pessoa para levantar as emoções daquele indivíduo para ganhar comprometimento para um pedido ou proposta.

aplicação
- Descreve uma mudança proposta como uma oportunidade animadora e única
- Conecta uma atividade ou mudança proposta direto aos ideais e valores da pessoa
- Descreve uma clara e apelativa visão do que pode ser alcançado com um projeto ou mudança
- Utiliza formas dramáticas e expressivas de se comunicar e linguagem positiva e otimista

tática de influência   eficácia   ideal para
#3 | Consulta
★★★★   **D** **I** **S** **C**

Você pede à pessoa para sugerir melhorias ou ajudar a desenhar uma atividade em que a ajuda da pessoa é desejada.

aplicação
- Condiciona um objetivo e pergunta como a pessoa pode ajudar a alcançá-lo
- Pergunta por opiniões de como melhorar uma proposta experimental
- Envolve a pessoa nas etapas do plano de ação para chegar ao objetivo
- Responde de forma positiva para qualquer receios expressados pela pessoa

L1 L2 L3 L4 L5 L6

tática de influência   eficácia   ideal para
#4 | Colaboração
★★★★   D **I** **S** **C**

Você oferece apoio ou recursos necessários caso a pessoa dê apoio ou aprove um pedido ou mudança solicitada.

aplicação
- Demonstra à pessoa como agir para determinadas tarefas
- Mostra como oferecer recursos necessários
- Demonstra à pessoa como resolver os problemas originados das solicitações
- Ajuda a pessoa a desenvolver uma mudança proposta

tática de influência   eficácia   ideal para
#5 | Aconselhamento
★★★☆   **D** **I** S C

Você explica como apoiar um pedido ou uma proposta pode beneficiar a pessoa para avançar em sua carreira.

aplicação
- Explica como a pessoa pode se beneficiar pela realização de determinada tarefa
- Explica como a tarefa que você gostaria que fizessem por você pode ajudar na carreira dele/dela
- Explica por que uma atividade ou mudança proposta pode ser boa para a pessoa
- Explica como uma mudança proposta pode solucionar alguns dos problemas da pessoa

tática de influência   eficácia   ideal para
#6 | Elogio
★★★☆   D **I** S **C**

Você elogia antes e durante uma tentativa de influenciar uma pessoa a cumprir um pedido ou apoiar uma proposta.

aplicação
- Diz que a pessoa tem habilidades ou conhecimento necessário para atingir determinada solicitação
- Elogia conquistas passadas da pessoa quando solicita que ela realize mais uma tarefa
- Demonstra respeito quando solicita a pessoa para fazer algo a ela.
- Diz que não há ninguém mais qualificada que ela para aquela tarefa

Capítulo 9

> Compartilhe sua visão, envolva e ouça o time. Influencie.

tática de influência
#7 | Permuta

eficácia: ★★★☆

ideal para: **D** **I** S C

Você oferece algo que a pessoa quer, ou oferece algo reciprocamente no futuro, se a pessoa fizer o que está pedindo.

aplicação
- Oferece algo que a pessoa quer em troca de ajudá-lo em uma de suas tarefas
- Se dispõe a fazer uma tarefa ou favor específico em troca de uma revisão em sua proposta
- Promete devolver um favor à pessoa posteriormente em troca de uma ajuda agora
- Oferece uma recompensa apropriada se a pessoa ajudar em uma solicitação mais complicada

tática de influência
#8 | Apelo Pessoal

eficácia: ★★★☆

ideal para: D **I** **S** C

Você pede a pessoa para seguir um pedido ou apoiar uma proposta como um favor pessoal ou baseado na bondade da outra parte.

aplicação
- Pede a pessoa para que faça um favor como amigo
- Pede sua ajuda como um favor pessoal
- Diz estar passando por uma dificuldade e agradeceria a ajuda de um amigo
- Diz que precisa pedir um favor antes de explicar o que é.

tática de influência
#9 | Coalizão

eficácia: ★★☆☆

ideal para: **D** **I** **S** C

Você recruta outras pessoas que julga importantes para te ajudar a influenciar outra pessoa, já que acredita que através do endosso delas aumentará sua chance de influência sobre seu alvo.

aplicação
- Menciona nome de outras pessoas que endossam uma proposta quando pergunta para alguém apoiá-lo
- Traz outros para ajudar a explicar por que eles apoiam uma atividade ou mudança sugerida
- Traz outras pessoas junto quando encontra a pessoa para solicitá-la apoio
- Pede ajuda a autoridades maiores para falar com determinada pessoa

L1 L2 L3 L4 L5 L6

tática de influência | eficácia | ideal para
#10 | Legitimação
★☆☆☆ D I S **C**

Você procura justificar suas ações pelo cargo que você detém na organização.

aplicação
- Explica que sua solicitação ou proposta é adequada às normas e políticas vigentes
- Aponta que sua solicitação ou proposta é adequada a um acordo inicial ou contrato
- Utiliza de documentos para verificar se uma solicitação é legítima (ex. Ordem de compras, Estatuto, Contrato, etc.)
- Explica que uma proposta ou solicitação é adequada com um precedente prioritário e prática estabelecida

tática de influência | eficácia | ideal para
#11 | Pressão
★☆☆☆ D **I** S C

Você usa demandas, checagem constante (follow up), lembretes constantes ou até ameaça para influenciar a pessoa a fazer algo.

aplicação
- Fica perguntando de forma persistente para que a pessoa diga "Sim"
- Insiste de forma assertiva para que a pessoa faça o que ela pedir
- Checa repetidamente para ver se a pessoa já fez o que lhe pediu
- Avisa a pessoa sobre as infrações de não completar a solicitação

A EXERCÍCIO DE AUTOCONHECIMENTO

Quer conhecer melhor as suas táticas de influência?

Faça a autoavaliação online
https://flaps.enora.com.br/assessments/influencia

ENVOLVIMENTO DA EQUIPE
COCRIANDO A VISÃO JUNTO COM O TIME

Como já mencionei, quando você cria sua visão, é muito importante que não a conserve só para si, mas sim que envolva o time em sua elaboração, que as pessoas da equipe sintam que têm *EMPOWERMENT* (empoderamento; autonomia) e voz na construção do caminho que vão seguir, sobretudo aquelas com o fator D e I, do DISC®, mais fortes.

Agora que você já sabe as táticas de influência, fica mais fácil compreender duas das estratégias mais eficazes para mobilizar uma equipe rapidamente:

1. Consulta – perguntar ao time o que acha da sua visão.

2. Colaboração – dizer que vai dar apoio a todos na conquista da visão e que também precisa do apoio deles.

Evoluindo a maturidade emocional da equipe

Como já sabe, maturidade emocional é desenvolvível e, em seu papel de líder, você pode apoiar os membros do seu time para evoluírem nesse sentido. Gosto muito da abordagem do autor Edward E. Morler[8], quando recomenda um processo para desenvolver a maturidade emocional da equipe em um passo a passo.

L1 **L2** **L3** **L4** **L5** **L6**

Uma das etapas que ele propõe em seu método é "Cocriar a visão, valores, propósito, objetivos e princípios estratégicos". Esse processo de envolvimento dos membros da equipe enche as pessoas de energia e traz a sensação de segurança, por verem que foram eles mesmos que criaram os alicerces da sua área.

Em 2015, reuni oito membros do time da Enora para reescrever o propósito, a ambição e os valores da empresa, justamente após ler o livro de Morler, *Leadership Integrity Challenge*, (tradução livre: O Desafio da Integridade da Liderança). O resultado foi surpreendente, com o time realmente ganhando segurança e autoestima, sentindo que participa das principais decisões da empresa e da defesa do novo direcionamento da organização.

REFLEXÃO DE LÍDER

E quando você tem diversos perfis dentro do time para influenciar, como deve agir?

Bem, como regra, quando se tem mais de um perfil dentro do público, é recomendável utilizar ao menos três táticas de influência diferentes para engajar mais pessoas ao mesmo tempo dentro do grupo. Caso tenha uma pessoa em especial que deseja influenciar com sua visão, prefira adaptar sua comunicação ao estilo desse indivíduo. A chance de acertar vai ser bem maior.

ATIVIDADE NO CANVAS

Revisite as pessoas que você definiu no passo L2 e faça uma predefinição de algumas táticas de apoio que você pode empregar para influenciá-las a seguir a sua visão.

Capítulo 9

> Compartilhe sua visão, envolva e ouça o time. Influencie.

#1 | COMPARTILHANDO A VISÃO

De acordo com o tipo (DISC) do membro do time, quais comportamentos você deve apresentar ao compartilhar a visão?

#2 | TÁTICAS DE INFLUÊNCIA

Quais táticas você deverá utilizar com o membro do time para influenciá-lo a seguir sua visão?

#3 | COCRIANDO A VISÃO

Peça feedback da equipe sobre a visão proposta e anote as principais contribuições e compare quanto a nova versão se diferencia da Visão de Líder original.

Não deixe de compartilhar com seu gestor (caso tenha) o resultado da sessão de cocriação com seu time. Sem dúvida ele ficará orgulhoso de você!

ACESSE O FLAPS! ONLINE
https://flaps.enora.com.br/canvas/l4
Responda online

(L1) (L2) (L3) (L4) **L5** (L6)

VENCENDO DESAFIOS
do voo de cruzeiro

=================== **Capítulo 10** ===================

Imagine que estamos voando a 11 mil metros de altitude, a plena velocidade de cruzeiro. De repente, acontece um grande e súbito movimento no avião, que faz a aeronave perder mil metros de altitude em cerca de três segundos. A tripulação fica apavorada, bebês chorando e pessoas rezando. Todos se perguntam se foi algo sério ou uma ocorrência simples, corriqueira. As pessoas começam questionar os comissários de bordo sobre o que aconteceu, o que fazer. Eles tentam acalmar as pessoas, dizendo que não foi nada, com cara de apavorados. Em meio à confusão, aparece uma voz pelo sistema de comunicação da cabine: "Srs. passageiros, boa tarde. Gostaria de informar que passamos por uma turbulência pontual, que não havia sido identificada pelos nossos instrumentos. Peço desculpas pela súbita transição, estamos suscetíveis a isso em todos os voos, porém acredito que não acontecerá novamente. De qualquer forma, para sua segurança e para que possam desfrutar com todo o conforto o restante de seu voo, mantenham-se em seus assentos com o cinto de segurança afivelado. Tenham todos uma boa viagem e os manterei informados antecipadamente sobre outros eventos que possam acontecer." Imediatamente as pessoas se sentam e se acalmam: "Ufa, não era nada demais."

A própria credibilidade do comandante na posição de líder no voo faz com que sua opinião seja mais bem aceita. Nós, seres humanos, mesmo os mais aventureiros, gostamos de previsibilidade e de saber que as coisas estão sob controle. Ao longo do caminho, até alcançar a visão ou o destino em que queremos chegar, preferimos delegar ao líder a função de nos conduzir em segurança. Assim, se algo der errado, é para ele que todos correm em busca de uma postura que os conforte, como você vai ver neste capítulo. Isso acontece mesmo com as pessoas mais experientes na função, que já alcançaram o nível D4 em termos de desenvolvimento.

Neste capítulo, você também vai saber mais sobre engajamento e motivação, dois fatores fundamentais para o desempenho da equipe, que permitem a todos, efetivamente, alcançar os objetivos organizacionais com agilidade, mesmo diante de eventuais mudanças de planos.

Desfrute deste voo de cruzeiro!

L5: INSPIRE, ENGAJE E MANTENHA A MOTIVAÇÃO

#1 INSPIRE

Na primeira versão do FLAPS!, lembro-me de que coloquei a atribuição do líder de "Inspirar a equipe" no passo anterior (L4), no momento em que ele deve compartilhar a visão com a equipe e precisa inspirar as pessoas para que elas mesmas acreditem que é possível chegar mais longe ou mesmo levantar a visão das pessoas a níveis mais elevados, como Drucker recomenda (*capítulo 3*).

INSPIRAR É FAZER ACREDITAR.

No entanto, com o passar dos anos, aplicando esse processo no dia a dia, percebi que a **inspiração deve ser cultivada e disseminada todos os dias.** É uma das partes mais difíceis da Liderança AdaptÁgil, pois, como vou mostrar a seguir, as pessoas estão sempre olhando para o líder em busca de um exemplo a ser seguido, querem ter contato com o líder e, caso isso seja negado por ele, a própria influência do líder pode sofrer uma redução.

Segundo John Zenger, Joseph Folkman e Scott Edinger, em seu livro *The Inspiring Leader: Unlocking the secrets of how extraordinary leaders motivate*[1] (tradução livre: O Líder Inspirador: Desbloqueando os segredos de como líderes extraordinários motivam), a inspiração tem um papel importantíssimo em diversos aspectos do desempenho da organização.

Eles realizaram uma pesquisa com mais de 8 mil líderes de 100 organizações e 41 mil seguidores. O resultado a que chegaram é que a eficácia da liderança depende de uma competência isolada: inspirar outras pessoas.

Veja, nas próximas páginas, alguns dos resultados a que chegaram:

Inspiração aumenta a produtividade do time!

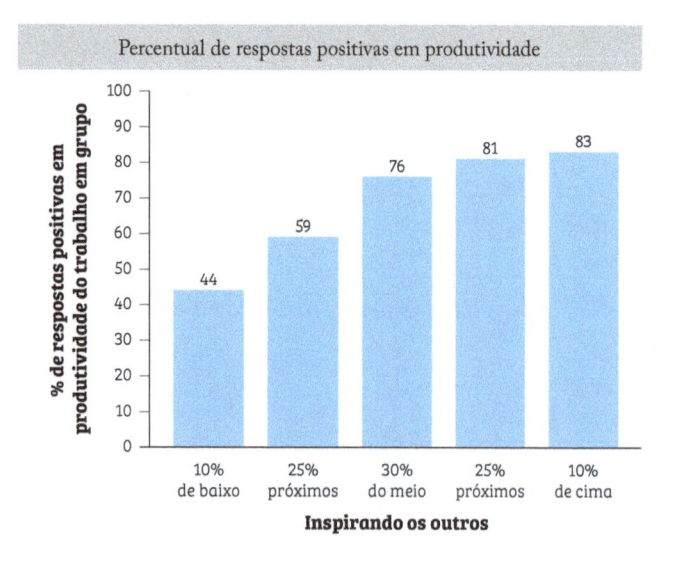

Percentual de respostas positivas em produtividade

Inspirando os outros	% de respostas positivas em produtividade do trabalho em grupo
10% de baixo	44
25% próximos	59
30% do meio	76
25% próximos	81
10% de cima	83

Líderes inspiradores reduzem a chance de as pessoas quererem deixar a organização

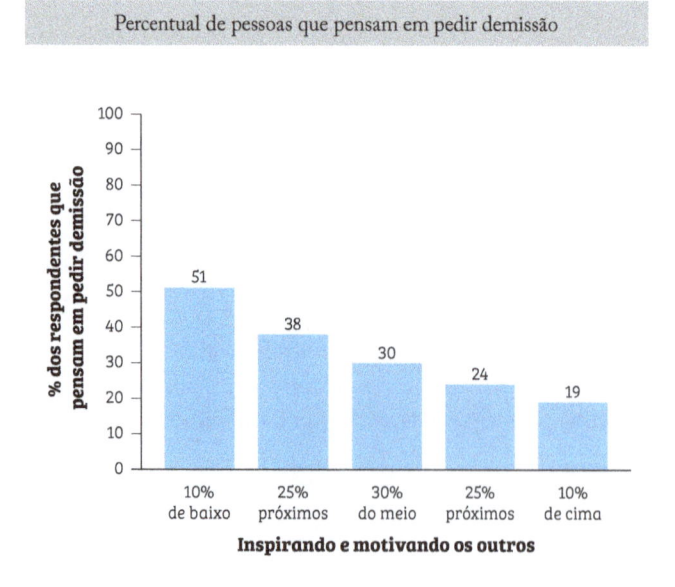

Percentual de pessoas que pensam em pedir demissão

Inspirando e motivando os outros	% dos respondentes que pensam em pedir demissão
10% de baixo	51
25% próximos	38
30% do meio	30
25% próximos	24
10% de cima	19

Capítulo 10
Inspire, engaje e mantenha a motivação

Líderes inspiradores também melhoram a satisfação no trabalho – e lembrem-se do que foi discutido no passo L3, quanto maior a satisfação, maiores os resultados.

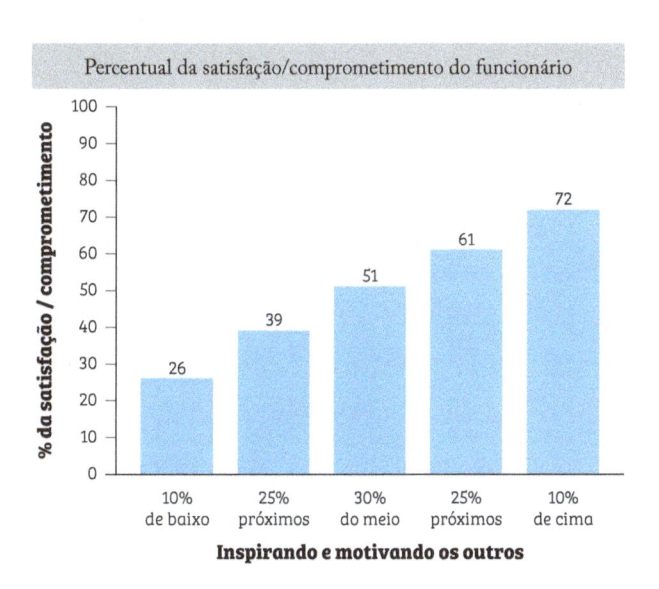

Percentual da satisfação/comprometimento do funcionário

Inspirando e motivando os outros	% da satisfação / comprometimento
10% de baixo	26
25% próximos	39
30% do meio	51
25% próximos	61
10% de cima	72

Segundo os autores, é possível desenvolver e aprimorar atributos muito importantes para que os líderes de fato consigam inspirar e motivar seus seguidores, colegas, pares e até mesmo gestores.

Achei um modelo simples, bem fácil de você lembrar em seu dia a dia com outras pessoas, que gostaria de compartilhar com você.

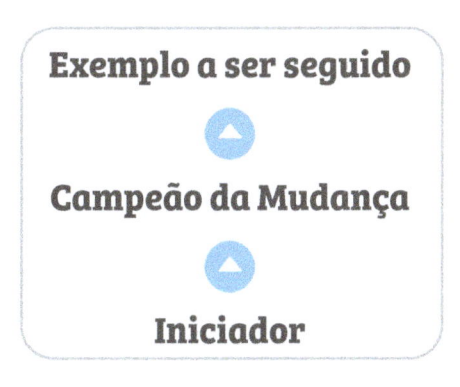

Exemplo a ser seguido
▲
Campeão da Mudança
▲
Iniciador

L1 **L2** **L3** **L4** **L5** **L6**

A | SER O EXEMPLO ou *Role Model*

Como descrito por John Zenger et al., o líder é o exemplo que estabelece o parâmetro de comportamento aos demais da organização. De fato, a pesquisa que fizeram confirma que o gestor exerce um efeito muito grande na forma como as pessoas desempenham sua rotina.

E um ponto importante é que os gestores causam um impacto tremendo no nível de entusiasmo e motivação do time.

- O líder implementa o ritmo para toda a organização – quanto mais ágil, mais os colaboradores vão demonstrar agilidade também.
- Suas horas de trabalho passam a ser o padrão aceitável de trabalho.
- Define o uso padrão dos recursos da organização.
- Sua interação com os membros do time e outros estabelece a norma cultural.
- Determina o foco em assuntos específicos e oportunidades na organização.
- Seu padrão de aceitação aos próprios erros define se o resto da organização também vai se colocar como responsável por seus eventuais erros.

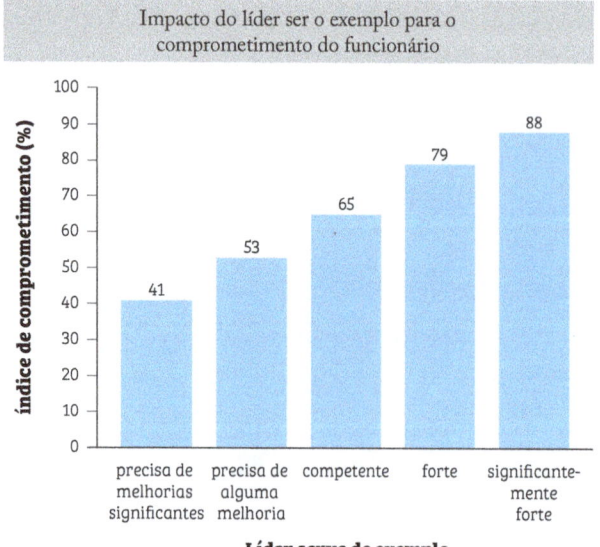

Impacto do líder ser o exemplo para o comprometimento do funcionário

Líder serve de exemplo	Índice de comprometimento (%)
precisa de melhorias significantes	41
precisa de alguma melhoria	53
competente	65
forte	79
significantemente forte	88

Capítulo 10 — Inspire, engaje e mantenha a motivação

COMO LÍDERES PODEM SER MELHORES EXEMPLOS:

Liderando pelo exemplo

Simplesmente faça o que fala, esforce-se para dar o melhor de si para também entregar além do esperado.

Maximizando sua exposição

Quanto mais as pessoas virem você dando o exemplo, melhor. Quanto mais der a oportunidade para as pessoas de chegarem perto e conversarem com você, mais você vai inspirá-las. Algumas formas de fazer isso é participar de reuniões de trabalho de grupos específicos, andar pelas áreas e conversar com as pessoas, ir visitar os locais mais remotos da empresa, contar histórias – sobre você e sobre exemplos que deram certo!

Seletivamente selecione comportamentos que devem ser enfatizados na organização

Você é responsável pelos comportamentos do time. Motive-os!

Procure feedback sobre as inconsistências do seu comportamento como líder e os valores expostos pela organização

Parece estranho, mas estou a todo momento perguntando, sobretudo aos responsáveis pela área de RH das empresas que atendemos e às pessoas que se reportam a mim diretamente na Enora, se realmente estou "*walking the talk*" (*expressão em inglês que significa atuar com consistência, fazendo na prática o que você diz ou prega, ou seja, é ser coerente com o que fala e o que faz de fato*). Às vezes, recebo feedbacks de que minhas tentativas de motivar alguém em alguma reunião surtem um efeito contrário, desmotivando o pessoal. Por exemplo, diversas vezes reconheci o trabalho de alguém por um sucesso atingido na organização, no entanto, os demais que participaram do mesmo projeto também gostariam de ser reconhecidos. Assim, o que falo para motivar um acaba desmotivando os outros do grupo. Como mostra a Janela de Johari, somente pelo feedback podemos efetivamente ter uma imagem mais clara de nosso comportamento em comparação ao que os outros percebem em nossas ações.

B | O CAMPEÃO DA MUDANÇA

A persuasão é o coração do que importa.

Uma das "estratégias" essenciais usadas por um líder que quer inspirar e promover mudanças (quando implementa sua nova visão) é a persuasão, ou seja, a arte de conseguir convencer as pessoas a aceitarem um ponto de vista modificando seu comportamento com base nessa argumentação – não é à toa que essa tática de influência é considerada a mais efetiva. Quando fiz o curso em negociação na Harvard Law School, o professor David Lax apresentou um modelo muito interessante de persuasão aplicado pela Kennedy School of Government, criado pelo professor Marshall Gantz e aplicado por diversos políticos nos EUA. O modelo é baseado em contar três histórias.

O PASSO A PASSO DA PERSUASÃO

Passo #1 EU
Compartilhe a sua história
(Quem é você? Por que você?)

Passo #2 NÓS
Construa a nossa história. (Temos algo em comum? O que vamos fazer juntos?)

Passo #3 AGORA
Diga a urgência do agora. (Por que temos que fazer isto já? Façamos já!)

▼

PERSUASÃO

(Prof. Marshall Ganz – Kennedy School of Government – Harvard University).

Existe outro método, proposto pelos mesmos autores do livro, que é ainda mais alinhado aos ensinamentos de Simon Sinek (autor de: *Por quê? – Como Motivar Pessoas e Equipes a Agir*), sobre o poder de entender "por que" o líder faz o que faz:

> "Na maior parte do tempo, líderes persuadem promovendo clareza em tópicos como: (1) Por que esta mudança, (2) Por que agora e (3) Por que desta forma"[2]

a. São os resultados da mudança que importam

Se as pessoas começam a ver os resultados, ou o que John Kotter chama de "vitórias rápidas" (*quick wins*), melhor.

b. Reconheça quem fez isto acontecer e essa pessoa fará novamente

Líderes AdaptÁgeis que são campeões da mudança realmente conseguem mapear os principais pontos da mudança e seus responsáveis, reconhecendo-os e parabenizando-os. Lembre-se de que nenhuma mudança é feita sozinha. Então, tenha cuidado ao reconhecer apenas uma pessoa publicamente (*como no caso que relatei*), pois os demais participantes podem se sentir desmotivados e até mesmo parar de apoiar o multiplicador da mudança.

C | O INICIADOR

É impressionante como, nos últimos anos, com o crescimento da Enora, comecei a perceber que diversas inciativas que delegava para os gestores seniores, como implementar um novo sistema de CRM ou participar de uma feira e fazer contatos efetivos de negócios, não funcionavam. Quando se trata de uma iniciativa nova, o "como fazer" fica muito na cabeça de cada um, porque ninguém ainda viu como a pessoa que delega acredita que deveria ser feito. Portanto, antes de delegar uma nova atividade, passei a priorizar e ver se não era algo que eu mesmo pudesse fazer primeiro, servindo de "cobaia". Em 100% das vezes, funcionou melhor. No modelo do líder inspirador de John Zenger e seus colegas, os fatores propostos para melhorar este ponto são:

a. Determinação

Você vai saber mais sobre este ponto no tópico, "Engaje", mas por ora basta entender que é fundamental mostrar que foi tomada uma decisão conjunta, entre o líder e seu colaborador, de fazer todo tipo de esforço necessário para superar as barreiras iniciais.

b. Accountability (ou senso de responsabilidade)

"Ser corajoso o suficiente para ser responsável pelas suas ações é uma qualidade rara[3]". Por isso, para se estabelecer como um claro iniciador, é essencial mostrar que compartilha as vitórias iniciais com o time e assume a responsabilidade por problemas que eventualmente possam surgir.

c. Risco

É impossível ser um "iniciador" de mudanças sem também assumir riscos calculados. Aqueles que não se arriscam, que preferem permanecer em sua zona de conforto, dificilmente vão ser percebidos como grandes iniciadores.

#2 ENGAJE

"Engajamento" é uma palavra que em gestão de pessoas se fala a todo o momento, sobretudo se o tema é liderança. No entanto, sempre tive um pouco de dificuldade de entender exatamente o significado dessa palavra. Talvez por não usá-la habitualmente. No dia a dia, não ouvimos, por exemplo: "Minha mãe está desengajada em comprar pastéis na feira" ou "meu marido se engajou de ir comigo ao cinema". No entanto, quando fiz, em 2014, a Certificação em Liderança Situacional II®, pela Ken Blanchard Companies, na belíssima Minneapolis, descobri que os americanos utilizam outra palavra em seu dia a dia quando se referem ao trabalho da equipe em uma determinada tarefa ou objetivo: *commitment*. Ao buscar a palavra "engajamento" em espanhol, fiquei ainda mais surpreso: "*compromiso*". Claro que, no auge de nosso "portânhol", sempre surge aquela tentação enorme de soltar com gosto um "*engayamiento*". Sinto desapontá-lo (*assim como me desapontei*), mas tal palavra ainda não foi adicionada ao dicionário Espanhol. Ou seja, finalmente ficou bem mais claro, para mim, que engajamento é o compromisso da pessoa, com mente (atenção e foco) e coração (paixão, vontade de fazer, seguindo os valores), em atingir uma determinada meta ou desafio que sua organização indicou a ela. Então, se a pessoa não estiver engajada – portanto, comprometida –, é bem provável que ela passe horas e horas do

Capítulo 10 — Inspire, engaje e mantenha a motivação

trabalho jogando Candy Crush, conversando via Whatsapp sobre a festa de sábado ou fazendo almoços de duas horas e intervalos de uma hora para tomar café.

ENGAJAMENTO = COMPROMISSO

Isso expõe a importância do engajamento para atingirmos resultados. Quando a pessoa fica bem engajada, ela aplica toda sua atenção e suas habilidades para superar as barreiras que aparecem pelo caminho, tenta agradar ao máximo o cliente, busca eventuais falhas em um relatório para torná-lo melhor, aprimora um processo para ganhar tempo e reduzir custos, tudo por iniciativa própria, sem a necessidade de o líder estar "em cima", cobrando.

Alguns dos alunos aos quais treinei no último ano tinham mais de 100 pessoas se reportando a eles diretamente... 100! Se esses líderes não puderem contar com o engajamento para garantir que as pessoas estão realmente seguindo a direção correta, vão literalmente enlouquecer ou ter que se multiplicar por... 100, o que até a finalização deste livro ainda não era algo possível com seres humanos.

Resumidamente, engajamento é o "molho secreto" que faz a Liderança AdaptÁgil funcionar. É a "cola" entre a rápida mobilização, a direção e a visão do processo de liderança, já que faz com que a mobilização inicial da liderança permaneça, não se dissipe. Mesmo sem a presença física do líder, pessoas engajadas continuam seguindo a direção determinada por ele, dando o melhor de si.

| Mobilizar / Engajar pessoas | + | Em uma determinada direção | = | Para se atingir um resultado esperado |

ENGAJAMENTO é

Comprometer as pessoas com os valores e objetivos pessoais ou organizacionais

Lembra-se de como o pequeno gigante Alberto Santos Dumont fez 25 tentativas, após seu acidente com o modelo N5, antes de conquistar o prêmio Deutsch? Imagine se os membros da sua equipe não estivessem engajados? Teriam se dispersado na 2ª ou 3ª tentativa...

Segundo pesquisa realizada pelo Instituto Gallup em 142 países[4], entre 2011 e 2012, somente 13% dos colaboradores do mundo todo se disseram engajados (comprometidos e cuidadosos), 63% disseram que simplesmente compareçam ao trabalho e fazem suas coisas, enquanto 24% disseram que são "ativamente desengajados" – infelizes, não produtivos e prejudicando o negócio.

Segundo pesquisa, o número de colaboradores ativamente desengajados no mundo todo supera a parcela de engajados, em uma proporção de, aproximadamente, 2-1.

Pesquisa mundial de empregados: Ativamente Desengajados, Desengajados e Engajados.

Resultados de 2011 a 2012 sobre empregados residentes, com mais de 18 anos, em 142 países.

	2009-2010	2011-2012
Ativamente desengajados	27%	24%
Desengajados	62%	63%
Engajados	11%	13%

Fonte: *The State of the Global Workplace - Employee Engagement Insights for Business Leaders Worldwide*. Instituto Gallup, outubro 2011.

Quando se observa os resultados por país, temos a grata surpresa de ver que o Brasil apresenta o dobro da média de colaboradores engajados, 27%. Mesmo assim, isso representa menos de um terço da força de trabalho do país.

Engajamento de funcionários por país

Resultados do engajamento + margem de erro para alguns dos 94 países onde empregados foram entrevistados

	Engajados	Desengajados	Ativamente desengajados
Argélia	12% ±6	35% ±5	53% ±4
Brasil	27% ±2	62% ±3	12% ±3
Canadá	16% ±3	70% ±3	14% ±3

Fonte: *The State of the Global Workplace - Employee Engagement Insights for Business Leaders Worldwide*. Instituto Gallup, outubro 2013.

ADAPTANDO O ESTILO DE LIDERANÇA
para engajar os indivíduos

Gosto muito de uma frase de Daniel Goleman, o maior responsável pela difusão do conceito de Inteligência Emocional, que diz: "Quanto mais estilos o líder demonstrar, melhor"[5]. Em seu recente livro, *Liderança – A Inteligência Emocional na formação do líder de sucesso* (*What Makes a Leader: Why Emotional Intelligence Matters*), Goleman apresenta uma pesquisa realizada pela Hay/McBer com quase 4 mil executivos em todo o mundo, que testou o impacto imediato que o modo de agir ou a postura do líder pode ter na motivação e no progresso dos colaboradores. O estudo, que identificou seis perfis de líder, chegou à seguinte conclusão: "Os estilos, tomados individualmente, parecem ter um impacto direto e único na atmosfera de trabalho de uma empresa, área ou equipe e, por sua vez, no desempenho financeiro. E talvez mais importante, a pesquisa indica que os líderes com os melhores resultados não dependem de um único estilo de liderança. Eles usam muitos, ou a maioria, em determinada semana – de forma consistente e em diferentes graus – dependendo da situação empresarial."[6]

L1 **L2** **L3** **L4** **L5** **L6**

Nessa mesma linha, o modelo de Liderança Situacional II® – provavelmente, o conceito que mais me apoia entre tudo o que já li ou aprendi sobre liderança – também propõe que o líder se ajuste às condições do meio em que atua, inclusive a pessoas, tarefas, objetivos. Esse modelo permite que você entenda como pode adaptar a forma de lidar com cada membro de sua equipe, de acordo com o desafio, a meta ou função específica que delega a cada um. E, assim como você viu no capítulo anterior como é importante o líder adaptar rapidamente sua comunicação, dependendo do perfil comportamental de cada membro do time, também é indispensável que adapte a forma com que aborda e engaja cada pessoa da equipe, realizando o que chamo de Liderança AdaptÁgil.

Já introduzi este modelo no passo L2 (capítulo 7), quando você classificou os diferentes membros do time de acordo com seu nível de desenvolvimento, que depende, por sua vez, do nível de comprometimento (*ou engajamento, como pode chamar a partir de agora*) e do nível de competência para desempenhar uma determinada função. Agora, vou fechar este ciclo apresentando os quatro estilos que devem ser aplicados em cada um dos níveis, de D1 a D4.

OS 4 estilos da Liderança Situacional II®[7] são combinados com os níveis de desenvolvimento conforme a imagem a seguir.

Os 4 estilos de liderança | **Modelo da LS®II**

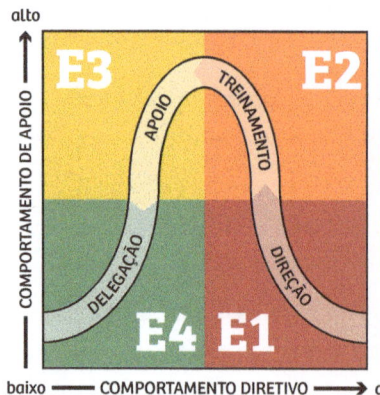

E1 - Alto grau de comportamento diretivo e baixo grau de comportamento de apoio

E2 - Alto grau de comportamento diretivo e alto grau de comportamento de apoio

E3 - Baixo grau de comportamento diretivo e alto grau de comportamento de apoio

E4 - Baixo grau de comportamento diretivo e baixo grau de comportamento de apoio

D4 Alta competência, Alto comprometimento
D3 Competência moderada-alta, Comprometimento variável
D2 Alguma competência ou baixa, Baixo comprometimento
D1 Baixa competência, Alto comprometimento

Desenvolvido ← → Desenvolvendo

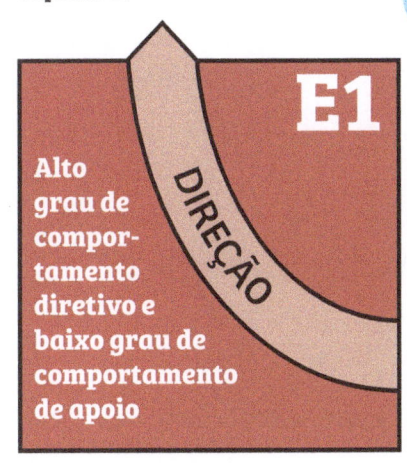

Capítulo 10

Inspire, engaje e mantenha a motivação

E1 — DIREÇÃO

Alto grau de comportamento diretivo e baixo grau de comportamento de apoio

ESTILO 1
Direção

Foque de perto na construção de competências

- Quando a pessoa ainda está no nível D1 e é um principiante empolgado, o indivíduo está empolgado e ansioso para iniciar a desempenhar o papel. É o gerente sênior que ganhou seu primeiro projeto global, é o engenheiro que será responsável por sua primeira obra ou o trainee que encara sua primeira rotação na área financeira. Ou seja, você pode ter qualquer nível de senioridade para experimentar o nível D1, conforme mencionado no capítulo 7.

Neste momento, o que o aprendiz na função deseja é direção, é uma orientação clara do que ele precisa fazer e não, como muitos gestores pensam, "empowerment" ou empoderamento: "Faça do jeito que você achar melhor". Aqui, para você ganhar eficiência como líder, o caminho do "como fazer" deve estar muito claro. Seu comportamento aqui deve ser de pouco apoio e muito diretivo. Um bom modo para você começar a implementar este estilo é:

- Reconheça o comprometimento da pessoa e que ela tem as competências necessárias para "se dar bem" na tarefa ou meta nova.

- Defina claramente as metas – se possível da forma mais específica e motivadora possível.

- Deixe claro o escopo (ou dimensão) do trabalho, quais são as prioridades, as pessoas com quem ela precisará falar para atingir o resultado.

- Desenvolva um plano de aprendizagem – a pessoa terá que fazer um curso? Terá que ler um livro? Terá que ser encaminhada a um mentor com grande conhecimento em iniciativas como esta?

- Ensine e mostre "como" – mostre o passo a passo, o como fazer.

- Dê feedbacks rápidos e constantes – lembre-se que essa pessoa precisa ser acompanhada de perto no início, portanto, seu feedback para mostrar como ela está se saindo neste começo é importantíssimo para tirá-la da inércia e fazer com que fique motivada.

Alto grau de comportamento diretivo e alto grau de comportamento de apoio

TREINAMENTO

E2

ESTILO 2
Treinamento[8]
Encoraje e oriente o aprendiz

Provavelmente, o principiante na função vai apresentar diversas dificuldades em suas primeiras tentativas (caso não apresente, vai rapidamente passar pelo D2 e em seguida para o D3 – mantendo o nível de engajamento alto, sem queda) que podem reduzir seu nível de comprometimento. Neste momento, seu principal papel é encorajar e orientar esse aprendiz quanto à forma correta de se fazer a atividade.

Para aplicar o método de forma eficaz:

- Ouça as preocupações do seguidor, tente compreender suas dificuldades, porém sem entrar na questão de problemas ou dramas – foque na construção de alternativas para a solução.

- Oriente como você faria, dê exemplos de situações similares que já passou que podem dar certo para ele também.

- Envie o indivíduo para treinamentos formais, presenciais ou online, relacionados à dificuldade que ele apresenta, já que isso pode estimular o resgate de sua autoconfiança e, consequentemente, seu engajamento.

- Explique por que é preciso fazer de certa forma, em determinado momento – lembre-se que para inspirar os outros é fundamental que eles entendam a razão de ter que fazer algo que, em princípio, parece "tão difícil".

- Redirecione e ensine novamente – revise o passo a passo com o seguidor. Após sua explicação, confirme com ele se realmente entendeu tudo o que você disse.

- Proporcione encorajamento e dê apoio. Mostre que está ainda próximo para apoiá-lo no que precisar, que ele está seguro.

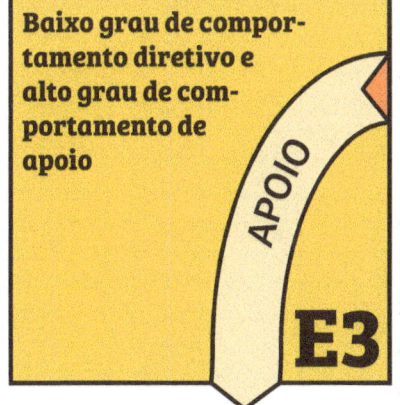

Baixo grau de comportamento diretivo e alto grau de comportamento de apoio

APOIO

E3

ESTILO 3
Apoio
O pior já passou!

Agora o aprendiz chegou ao nível D3 e já sente que tem competência moderada para executar as diversas tarefas do dia a dia, referentes à nova função. Você passa, então, a ser mais necessário como um apoiador e não mais como uma pessoa que acompanha muito de perto todos os passos do dia a dia do membro de sua equipe. É como se a pessoa alçasse voo, passando a ser menos dependente de você. O membro do time agora é capaz, mas, ao mesmo tempo, cauteloso, pois já conhece as dificuldades que a falta de atenção podem trazer a ele. Ele mesmo vai solicitar seu apoio em algumas atividades. Para valorizar o novo "jeito próprio de fazer as coisas" que ele adquiriu, é importante ouvi-lo e não, simplesmente, dizer: "se fosse eu, faria assim".

Para aplicar este estilo, Ken Blanchard orienta que o líder:

- Ouça o indivíduo acima de tudo.

- Faça perguntas, se possível, aplicando o método de coaching[9], que traz estrutura para a resolução de questões, e não pergunte "só por perguntar", já que isso também pode desmotivar as pessoas.

- Demonstre confiança na pessoa em cumprir as tarefas.

- Reforce os sucessos passados que a pessoa teve, reconhecendo também suas contribuições e competência.

- Discuta sobre a motivação da pessoa, caso esteja baixa.

ESTILO 4
Delegação

E4 — DELEGAÇÃO — Baixo grau de comportamento diretivo e baixo grau de comportamento de apoio

Chega a ser engraçado o fato de "delegação" ser uma das atividades mais almejadas por futuros líderes, porém, na hora em que têm que delegar mesmo..., não conseguem. Em minhas andanças desenvolvendo líderes potenciais e gestores de primeira viagem, percebi que existe um padrão nas organizações: na maioria dos casos, os gestores foram promovidos por terem apresentado um desempenho técnico superior aos demais membros do time e, por isso, passam a coordenar os demais. É como aquele vendedor que, antes, vendia mais que os outros, batendo consistentemente todas as metas. Agora, por incrível que pareça, ele é cobrado não por vender mais, mas por gerenciar o time de vendas. Isso causa uma frustração enorme nele, pois como era um vendedor maravilhoso, aquilo dava prazer a ele... Agora, ele tem que coordenar "um monte de gente" sem o mesmo talento dele, para que alcancem a meta de sua regional. Posso dizer, com convicção, que, em geral, isto não vai acontecer. Isso porque sua força e motivação como vendedor individual é maior do que a que tem em sua nova função de supervisor ou coordenador de vendas. Portanto, ele começa a vender pela equipe, na maior parte das vezes sem nenhum foco em dar o exemplo ou mostrar como se faz.

Ou seja, aquele que queria delegar para que "outros batessem a meta e fizessem o trabalho duro por ele" agora é o primeiro a dividir, ombro a ombro com a equipe, a função de vender.

No entanto, neste estilo (E4), é fundamental que o líder consiga delegar tarefas e metas aos realizadores autoconfiantes (D4) de sua equipe, para que dê mais atenção e foco às suas atividades de desenvolver e acompanhar de perto os membros da equipe nos níveis D1 e D3, bem como para que cumpra as funções que são importantes para seu próprio gestor, como preparar relatórios ou representar sua área em projetos da organização.

O estilo E4 é, portanto, a redenção do líder. Se for conduzido da forma correta, ele vai ganhar sua liberdade e apresentar um desempenho ainda melhor, a partir da boa execução dos membros do time que estiverem desempenhando funções no nível de desenvolvimento 4.

Capítulo 10 — Inspire, engaje e mantenha a motivação

Para que você implemente de forma impecável este estilo:

- Crie visibilidade para o sucesso do membro do time.

- Encoraje a inovação – fazer "mais do mesmo" não é a expectativa e não motiva mais o D4, aproveite para inovar.

- Apoie sua autonomia e encoraje seu crescimento.

- Dê oportunidade para que esse membro do time atue como mentor de outros (***veja E1 – quando mencionamos pessoas que poderiam orientar os membros do time em D1***)

- Reconheça sua elevada contribuição para o time e seu engajamento.

As pessoas não param de se desenvolver. Desta forma, sempre vai haver espaço para que alguém que está no nível de desenvolvimento 4 em uma atividade assuma novas funções e passe a ser considerado no nível D1, D2 ou D3 em outra atividade. Um ponto importante que vale ressaltar é que, por fatores externos, as pessoas também podem retroceder exercendo a mesma função, de um nível 4 para um nível 3, por exemplo. Basta que estejam enfrentando algo difícil em sua vida pessoal que afete muito seu engajamento (perdem o foco por estarem muito preocupadas). Nesses casos, a pessoa passa a cometer erros que não cometia anteriormente, demonstrando competência moderada e não mais elevada como anteriormente.

Por esse motivo, fique de olho. O estágio de desenvolvimento é situacional. Então, é papel do líder AdaptÁgil diagnosticar de forma precisa o nível de desenvolvimento de cada membro do time para, dessa forma, adaptar seu estilo de acordo e com mais agilidade.

> **É dever do líder AdaptÁgil diagnosticar e adaptar seu estilo de liderança a cada membro da equipe para maximizar seu engajamento e, consequentemente, seus resultados**

L5

A — EXERCÍCIO DE AUTOCONHECIMENTO

Quer saber qual estilo de Liderança Situacional II® você mais utiliza?

Que tal fazer um exercício de autoconhecimento online que vai permitir saber quão assertivo você é na identificação do melhor estilo a ser utilizado em cada situação com o membro da equipe?

ACESSE O FLAPS! ONLINE
https://flaps.enora.com.br/assessments/LSII

Faça o teste para saber o seu estilo de liderança.

ATIVIDADE NO CANVAS

Agora que você aprendeu os diferentes estilos de liderança, qual seria o estilo mais adequado para aplicar com os membros do time que você selecionou no passo L2? Lembre-se, não existe um estilo único, então, considerando as funções prioritárias dessas pessoas, você deve apontar qual dos estilos acredita que deve adotar na maior parte do tempo. Marque esse estilo no Canvas. E, se por acaso a pessoa estivesse enfrentando dificuldades com um ponto específico, indique qual estilo você deveria empregar.

Como deveria adaptar sua abordagem com essa pessoa? Quais seriam os principais pontos nessa "conversa de líder"?

Capítulo 10 — Inspire, engaje e mantenha a motivação

L5 – INSPIRE, ENGAJE E MANTENHA A MOTIVAÇÃO

Qual estilo de liderança você deve adotar com as pessoas?

- [ ] Delegação
- [ ] Apoio
- [ ] Treinamento
- [ ] Direção

Conversa de líder

Adapte a conversa para cada membro do time utilizando as técnicas aprendidas nos capítulos anteriores

Quando você ouve que tem que adaptar seu estilo ao nível de desenvolvimento do outro, ou a seu tipo psicológico, parece ser algo muito fácil, não? Mas, na verdade, trata-se de uma das partes mais difíceis do relacionamento e na comunicação humana, ainda mais se tiver que realizar isso rapidamente, como na Liderança Adaptágil. Segundo estudo da Ken Blanchard Companies, que mediu quanto as pessoas conseguem adaptar seu estilo de acordo com os diferentes níveis de desenvolvimento de cada membro do time em uma tarefa, 54% das pessoas conseguem aplicar somente um estilo, 34% conseguem flexibilizar e aplicar até dois estilos em pessoas com níveis de desenvolvimento distintos em uma tarefa. Somente 11% conseguem transitar por três dos estilos e, por fim, apenas 1%, entre milhares de pessoas em todo mundo, consegue, antes de qualquer treinamento para isso, transitar pelos 4 estilos da Liderança Situacional II®.

Como a ideia aqui é ajudar você a desenvolver suas habilidades na Liderança AdaptÁgil, o próximo passo é mostrar, agora mais detalhadamente, como você pode desenvolver sua **Inteligência Emocional**, que, como já mencionei ao apresentar as Vogais da Liderança (no capítulo 5), é a capacidade de compreender e lidar com as emoções, suas e dos outros.

A IMPORTÂNCIA DE INTELIGÊNCIA EMOCIONAL

para adaptar o estilo de Liderança

Gosto da objetividade com a qual o Dr. Travis Bradberry e sua parceira Jean Greaves definem Inteligência Emocional: "Inteligência Emocional é um conjunto de habilidades que capturam a consciência de nossas próprias emoções e as emoções dos outros e como nós usamos esta consciência para gerir a nós mesmos de forma eficaz e formar relações de qualidade[10]."

Por muitos anos, as pessoas mais disputadas nas empresas eram selecionadas com base em testes de QI (Quociente de Inteligência). Por meio de avaliações, esse quociente demonstrava a capacidade lógica das pessoas. Ou seja, a capacidade analítica da pessoa em conseguir processar e fazer conexões de dados para chegar a uma conclusão lógica e racional.

Com o passar dos anos e a evolução tecnológica, o computador passou a assumir essa função lógica de uma maneira muito mais rápida e precisa. Involuntariamente, o ser humano ganhou destaque no ambiente de trabalho por sua capacidade de se adaptar ao meio e por seu envolvimento emocional com as situações organizacionais.

Com base nas definições de Bradberry & Greaves e nos ensinamentos de Daniel Goleman (no *best-seller Inteligência Emocional* e no mais recente *Primal Leadership*), é possível distinguir quatro capacidades principais envolvidas na Inteligência Emocional, que resultam de duas perspectivas distintas: perceber (consciência) as emoções e gerir estas emoções. Conforme o quadro a seguir, as quatro capacidades resultam justamente do encontro desses dois eixos.

Autoconsciência | a capacidade do indivíduo de reconhecer de forma precisa suas emoções quando e como elas acontecem, bem como de ter um conhecimento mais preciso de seu perfil comportamental.

Autogestão | a capacidade da pessoa em conseguir controlar suas reações aos estímulos do ambiente e dos contatos interpessoais.

Percepção social | capacidade do indivíduo de perceber as emoções e sentimentos dos outros.

Gestão de relacionamentos | capacidade do indivíduo de se adequar ao outro e lidar com ele a partir de influência, de forma natural, visando ao relacionamento de longo prazo.

É possível se desenvolver em cada um desses quadrantes. Como já mencionei antes, Goleman sugere que um bom plano para desenvolver sua IE é investir em autoconhecimento. Ao conhecer melhor suas reações emocionais a estímulos e suas preferências, o indivíduo consegue também se controlar melhor, pois sabe como vai reagir a um determinado gatilho emocional. E isso é essencial para ser um líder AdaptÁgil.

	O que eu vejo	**O que eu faço**
Competência pessoal	Autoconhecimento *entender a si mesmo*	Autocontrole *gerenciar meu comportamento*
Competência social	Percepção social *entender outras pessoas*	Gestão de Relacionamentos *gerenciar intercomunicações*

Por exemplo, suponha que você é uma pessoa calma, mas facilmente irritável, com dificuldade de concentração. Você tem que entregar uma apresentação de dez slides para o presidente da empresa no dia seguinte, então, resolve trabalhar de casa e se fechar no quarto. Depois de cinco minutos de ter "engrenado", seu filho entra no quarto e pergunta se você está ocupado. Você calmamente responde que "sim". Depois de dez minutos, entra sua esposa, também pergunta se você está ocupado. Você começa a ficar vermelho, começa a sentir todos os seus nervos, mas responde já em tom mais alto: "Sim, estou ocupado." Sua esposa sai do quarto. Seu filho liga a música alta, sua esposa começa a usar o liquidificador, batedeira, lava-louça... Parece que ligou tudo o que tinha no arsenal para fazer barulho. Você fica roxo, bate na mesa e, como um general, abre a porta com toda força e solta um brado retumbante: "PAAAAAAREM COM ISSOOOOOO!". Ninguém entende nada do que está acontecendo... Você volta ao trabalho e termina a apresentação. Durante o jantar, nota que nenhum dos dois fala com você.

"As pessoas podem esquecer o que falou, mas nunca esquecerão como você as fez se sentir."

Maya Angelou – Poetisa Americana

Nesse caso, se você tivesse um elevado nível de autoconhecimento, ou autoconsciência, teria noção sobre a sua forma de reagir diante de interrupções. Com isso, você saberia se controlar melhor (autocontrole) e também já teria conversado antes com seu filho e esposa: "O papai tem algo muito importante para fazer agora à noite e queria pedir a compreensão e participação de vocês. Eu vou precisar ficar 40 minutos quieto no quarto e queria pedir a vocês que colaborassem com o silêncio. Depois vamos ter um ótimo jantar juntos e até podemos ver um filme ou o que preferirem. Vocês querem que eu faça alguma coisa antes de ir ao quarto?". Assim, você teria utilizado seu autoconhecimento, elevando seu autocontrole também.

Autoconsciência – ou autopercepção, como prefiro chamar – também aumenta a sua percepção social ou reconhecimento das emoções dos outros. Se você se conhece bem, seu perfil comportamental, suas preferências, seu nível de Inteligência Emocional, quando vê alguém parecido com você, seu cérebro aciona um mecanismo muito utilizado chamado "aproximação", permitindo que você reconheça a pessoa e comece a pensar o que ela gostaria que você falasse ou como gostaria que você lidasse com ela. Conhecendo-se melhor, você também reconhece as pessoas que são diferentes de seu perfil! Ou seja, se você agir de um jeito e a pessoa não fizer o mesmo que você, isso revela que provavelmente ela tem preferências diferentes das suas. Por exemplo, sempre que você cumprimenta alguém dá um grande sorriso, abraça a pessoa, fala sobre a vida pessoal. No entanto, tem um colega seu que é o oposto, ele dá a mão para cumprimentá-lo, mesmo conhecendo você há dez anos, e nunca fala sobre família – você tem quase certeza que ele não abraça nem mesmo a própria esposa... Não é que você acha, ele realmente "é" diferente de você. Então, uma forma de aumentar sua capacidade de perceber os outros de forma mais ágil é se baseando em sua autopercepção.

Capítulo 10 — Inspire, engaje e mantenha a motivação

A combinação de um aumento da autopercepção e da percepção do outro, por sua vez, leva a um aumento da sua capacidade de gestão de relacionamentos. Imagine que você tenha um alto nível de percepção social, ou seja, você, como líder AdaptÁgil, consegue distinguir o perfil e preferências de cada membro da sua equipe rapidamente. Além disso, você também tem um elevado autocontrole, ou seja, consegue se adaptar a cada um desses membros de seu time, fazendo com que se sintam especiais e engajados em tudo o que pede a eles. Por exemplo, Judite é uma pessoa muito aberta e gosta de conversar, de falar sobre as questões difíceis no trabalho, sobre as dificuldades que tem encontrado, enfim. Como ela é uma pessoa muito experiente e dá muito apoio a você na gestão do time, você sempre separa ao menos duas horas para cada bate-papo com ela, ainda que seu padrão de conversa com o time não passe de 30 minutos. Para falar a verdade, você nem gosta muito dos "rodeios" que a Judite faz para contar uma coisa. Parece que nunca chega o ponto final do "causo" que ela está contando. Mas você dá atenção total a ela, pois essa conversa de duas horas ocorre somente uma vez por mês, e a Judite motivada é garantia de sucesso para todo o departamento, já que com sua grande abertura ela conecta muito bem as pessoas, sendo especialmente importante por apoiar os mais imaturos na execução de suas tarefas.

No livro *Emotional Intelligence 2.0*[11] (tradução livre: *Inteligência Emocional 2.0*), Travis Bradberry e Jean Greaves apresentam 66 estratégias para desenvolver sua Inteligência Emocional, com base em estudos feitos com mais de um milhão de pessoas. Selecionei duas dessas estratégias para cada uma das quatro capacidades do quadrante da IE (isso já soma oito estratégias) para que você comece a praticar em seu dia a dia, lembrando que esta seleção serve apenas para ilustrar, pois há outras 58 estratégias disponíveis para desenvolver sua Inteligência Emocional. Mas antes de iniciar este processo, anote aqui qual capacidade você acredita que precisa desenvolver mais:

Estratégias da inteligência emocional

Autoconhecimento
- Procure feedback constantemente
- Avalie-se, note-se

Autocontrole
- Coloque uma recarga mental em sua agenda
- Durma sobre a questão

Percepção social
- Limpe a mente de distrações para falar com as pessoas
- Coloque-se no lugar do outro

Gestão de relacionamentos
- Explique suas decisões, não apenas as tome
- Receba bem feedback

Fonte: Traduzido e adaptado de *Emotional Intelligence 2.0* - Travis Bradberry e Jean Greaves.

Reforçando o papel da abertura ao FEEDBACK

Recentemente pude apreciar os ensinamentos do livro ***Thanks for the Feedback – The Science and Art of Receiving Feedback Well***[12] (tradução livre: Obrigado pelo Feedback), de Douglas Stone e Sheila Heen, no qual apontam três comportamentos básicos que se deve evitar ao receber feedback. Superar esses comportamentos em si já é um exercício poderoso que proponho a você para desenvolver sua autogestão. Segue uma síntese muito interessante feita pela jornalista Cibele Reschke, que exemplifica o que você não deve fazer para poder receber melhor um feedback.

Capítulo 10

Inspire, engaje e mantenha a motivação

REAÇÕES EM FEEDBACKS

DESCRIÇÃO

Não aceitar más notícias	Matar o mensageiro	Exagerar no fracasso
Entrar em um estado de negação total da crítica revelada	Colocar a culpa em quem deu a má notícia, em vez de admitir o defeito	Incapacidade de avaliar corretamente o tamanho do problema

FRASES TÍPICAS

Não aceitar más notícias	Matar o mensageiro	Exagerar no fracasso
"Você está errado."	"Quem é você para me criticar?"	"O projeto deu errado e eu nunca vou me recuperar desse erro."
"Isso nunca aconteceu."	"Você não me conhece direito."	"Não cumpri a meta porque sou um incompetente."
"Eu não sou assim."	"Quem precisa de ajuda é você."	

REAÇÃO CERTA

Não aceitar más notícias	Matar o mensageiro	Exagerar no fracasso
Tente entender o que a pessoa quer dizer, em vez de rejeitar. Os rótulos costumam ser vagos e imprecisos e é necessário investigar as impressões da pessoa. Faça muitas perguntas até chegar às verdadeiras razões.	Primeiro separe o "que" do "quem" e não leve para o lado pessoal. Antes de discutir a crítica, volte alguns passos e discuta a relação. Depois, procure saber por que a pessoa está dizendo aquilo sobre você.	Preste atenção para dar ao feedback a devida importância. Faça perguntas para tentar eliminar as distorções que seu julgamento pode ter criado. Concentre-se na oportunidade de aprender com a crítica feita.

Fonte: *O Novo Feedback*, Cibele Reschke. *Revista Você S.A.*, junho de 2014.

A EXERCÍCIO DE AUTOCONHECIMENTO

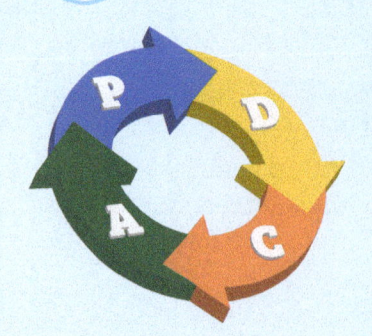

PDCA da Inteligência Emocional

Comece agora mesmo o seu plano de desenvolvimento em inteligência emocional! O primeiro passo é responder a autoavaliação online acessando pelo QR code de seu dispositivo, ou pelo link abaixo. Na sequência você será direcionado na plataforma para construção do seu PDCA!

ACESSE O FLAPS! ONLINE
https://flaps.enora.com.br/assessments/pdca-ie
Faça agora mesmo a autoavaliação online

#3 MOTIVE

Motivação é o combustível que faz você, seu time, na verdade, todos nós, nos movermos a cada dia. A palavra vem do latim "*motere*", ou seja, **mover**. Por esse motivo, gosto bastante da definição simples de que MOTIVAÇÃO é ter um motivo para uma ação. É o que nos move, o que nos faz sair de nossa inércia.

MOTIVO + AÇÃO

Na verdade, o ser humano, assim como todos os demais mamíferos, é em sua essência "preguiçoso". Isso porque a chave para a sobrevivência dessa classe é "poupar energia", ou seja, gastá-la somente para o que for necessário. Na ordem dos primatas,

Capítulo 10 — Inspire, engaje e mantenha a motivação

isso se traduz em apenas três funções. Reprodução (ou seja, procurar um parceiro), fuga (garantir a sobrevivência) e caça/alimentação (buscar mais fontes de energia) – essas eram nossas motivações originais.

Já falei um pouco sobre o Sistema Límbico, mas agora vou falar especificamente sobre a função da amígdala cerebral, que faz parte desse sistema. A amígdala funciona como um "termostato" ou, mais tecnicamente, "um portal neural" de nosso cérebro, mapeando o ambiente e decidindo, em frações de segundo, que tipo de resposta temos que dar ao contexto – algo imprescindível para exercer a gestão AdaptÁgil. Ela é responsável por uma função cerebral importante que se chama "mecanismo de fuga ou luta" (flight or fight, em inglês). Trata-se de um mecanismo muito básico, que temos há milhões de anos, que aciona a motivação da pessoa para correr e fugir ou a motivação para ela ficar e lutar.

Incrivelmente, a raiz latina *motere* é a mesma da palavra "emoção", como complementa Daniel Goleman[13]: "As emoções são, literalmente, o que nos move, nos impulsiona, na direção de nossas metas. Elas alimentam nossas motivações e nossos motivos. E, por sua vez, impelem nossas percepções e moldam nossas ações. Um grande trabalho começa com um grande sentimento." E acrescenta: "Podemos presumir que motivações diferentes envolvam diferentes combinações de substâncias químicas do cérebro, embora não saibamos quais são. O que de fato sabemos é que a amígdala abriga o circuito cerebral geral, no qual se apoia a motivação[14]."

> *"Nossas motivações buscam determinadas oportunidades e conduzem nossa percepção nessa direção. A amígdala faz parte de um portal neural, através do qual entra tudo o que nos importa, tudo que nos motiva. Cada elemento desses é avaliado, em termos do seu valor como incentivo. Como guia para o que mais nos importa, a amígdala serve de área de triagem de nossas prioridades na vida."*[15]

Bom, compreendido o sistema motivacional de nosso corpo, como será que você pode agir com as pessoas para motivá-las? Se o papel do líder é fundamental na motivação (ou desmotivação) das pessoas no dia a dia do trabalho, o que você pode fazer para estimular este processo que move as pessoas mais rapidamente?

COMO MOTIVAR
pessoas diferentes de forma diferente?

Agora que você já sabe que as pessoas são motivadas por diferentes incentivos, em seu papel de líder AdaptÁgil você precisa aprender "quais são os botões" que ligam (motivam) e desligam (desmotivam) cada indivíduo, de acordo com os traços distintos de seu perfil. Para apoiar essa parte da sua jornada e com base no método DISC®, preparei um material inspirado nas recomendações de E.G. Sebastian, autor de *Communication-Skills Magic* (sem tradução no Brasil), de como se comunicar com o time conforme as preferências de cada perfil:

D Dominância

Como lidar comigo?

- Seja direto e vá ao ponto – Não gaste meu tempo!
- Se tiver algo para me dizer, diga logo na minha cara, não fique dando voltas.
- Ouça o que estou falando, e ouça bem.
- Você tem um trabalho a fazer, portanto faça isso bem e rápido.
- Seja competente.

Como motivar?

- Deixe-me sentir que tenho pleno controle dos projetos.
- Dê-me instruções gerais, sem ficar explicando detalhes – gosto de sentir que criei as respostas.
- Indique-me atividades desafiadoras. Tenho grande satisfação em superar situações desafiadoras e de completar atividades que a maioria acredita ser inalcançáveis ou estressantes.

- Quando eu estiver trabalhando em time, delegue-me autoridade para que eu sinta que estou no controle e que os outros saibam disso, como me nomear líder de projeto, por exemplo.

Como desmotivar?

- Coloque-me para trabalhar com pessoas verborrágicas e desfocadas.
- Instale-me em um ambiente lento que não permita oportunidades de crescimento nem recompensas.
- Determine que eu reporte todos os meus movimentos diários (faça microgestão).

I Influência

Como lidar comigo?

- Quando nós conversamos, por favor, sorria e olhe em meus olhos.
- Se tiver um problema comigo, vamos discutir isso abertamente. Não grite ou tente me dar uma lição.
- Compartilhe comigo suas histórias, se possível com humor na conversa.
- Ouça minhas histórias e piadas e dê risada comigo.
- Quando trabalhamos em um projeto, vamos discutir bastante os passos que temos que dar e como vamos completá-los.
- Se vir que fiz algo bem, trate de me elogiar. Adoro ser reconhecido.
- Seja aberto a conversas ao longo do dia.

Como motivar?

- Deixe-me trabalhar em meu próprio ritmo (garantindo alguns prazos de entrega).

- Passe-me instruções por escrito (para evitar que eu me esqueça da instrução ou diga que não a ouvi).

- Incentive-me: "Eu sei que você pode fazer isto! Vi no passado que você conseguiu."

- Diga que será divertido.

- Proporcione oportunidades para eu utilizar minhas habilidades verbais.

- Capitalize sobre minha necessidade de reconhecimento público (como bater o sino de vendas, falar para uma audiência grande ou participar de eventos de networking).

- Conceda-me incentivos financeiros.

Como desmotivar?

- Não crie oportunidades para que eu apareça aos demais e demonstre minhas habilidades verbais.

- Faça microgestão.

- Obrigue-me a reportar todos os movimentos do dia.

- Faça com que eu me sinta desrespeitado por superiores e colegas.

- Elimine as minhas oportunidades de interagir com os outros.

- Determine que eu faça trabalhos monótonos.

- Coloque-me para fazer tarefas bastante analíticas e técnicas.

(S) Estabilidade

Como lidar comigo?

- Seja paciente e amigável.

- Não grite comigo.
- Não me pressione ou force para que eu acelere o passo.
- Respeite o fato de eu entrar mais em contato com meus sentimentos que os outros estilos.
- Não seja sarcástico quando fala comigo.
- Ouça o que eu tenho a dizer. Permita que eu tenha tempo para processar e dar retorno (tendo a ser mais tímido e respeitoso)
- Não venha com muitas mudanças súbitas.
- Não abuse de minha boa vontade e natureza voltada para dar apoio.

Como motivar?

- Sorria e seja gentil comigo.
- Dê instruções claras dizendo o que precisa ser feito e de que forma. Costumo seguir procedimentos e gosto de rotina e previsibilidade no trabalho.
- Elogie-me por minha forma de trabalho consistente em cumprir tarefas. Expresse apreciação por minha maneira apoiadora. Ao notar que meus esforços estão sendo apreciados, vou tentar agradá-lo ainda mais.
- Proporcione bastante tempo para que eu cumpra as tarefas.
- Não me acelere.
- Se quiser implementar uma mudança, certifique-se de me contar o que vai acontecer antecipadamente.
- Coloque-me para trabalhar em pequenos times, nos quais meu apoio possa ser apreciado.

Como desmotivar?

- Instale-me em ambientes de alta velocidade com muitas mudanças.

- Faça afirmações do tipo "você é terrível" ou outras similares, mesmo que com intenção de humor. Levo muito a sério feedbacks negativos.

- Coloque-me para trabalhar em ambientes estressantes com conflitos regulares.

- Ponha-me em áreas em que decisões rápidas de trabalho são necessárias.

- Deixe-me trabalhando muitas horas sozinho, especialmente quando eu não tiver recebido instruções claras de "como desempenhar as tarefas".

- Interrompa-me regularmente ou peça-me para fazer múltiplas tarefas ao mesmo tempo até me estressar.

- Sente-me para trabalhar ao lado de pessoas que podem ser muito aceleradas ou bruscas.

- Coloque-me para reportar para um gestor muito brusco, que vai direto ao ponto ou é muito acelerado.

C Conformidade

Como lidar comigo?

- Quando falar comigo, atenha-se a fatos e dados.
- Seja sucinto e mantenha-se no ponto.
- Esteja preparado. Saiba do que está falando.
- No trabalho, evite histórias, piadas e outras questões não relacionadas ao trabalho.

Inspire, engaje e mantenha a motivação

- Por favor, não desperdice meu tempo expressando sentimentos e emoções. Vamos falar dos resultados.
- Não me apresse – deixe-me fazer as coisas da minha forma.
- Deixe-me terminar o que comecei.
- Mostre apreciação pelos meus pontos fortes.
- Entenda e respeite o fato de que detalhes e a precisão na ordem têm importância primordial para mim.
- Se trabalhar próximo a mim, por favor, não seja desorganizado, não fale alto nem chegue atrasado.
- Não seja sarcástico comigo.
- Ouça ao que eu tenho a dizer e não me interrompa.
- Não despeje sobre mim mudanças abruptas. Apresente antes as propostas de mudança, discuta comigo e explique claramente o "porquê" da necessidade dessas mudanças.

Como motivar?

- Fale comigo da forma mais moderada, enquanto mantém-se no ponto.
- Incentive-me com frases do tipo: "Eu preciso de sua expertise" ou "Nós precisamos de suas habilidades intelectuais para sermos bem-sucedidos em nosso projeto".
- Mostre-me como algo foi bem-sucedido no passado – como pesquisas, treinamentos, apresentações – adoro o senso de certeza em seguir procedimentos bem estabelecidos.
- Gosto de sentir que sei exatamente o que os outros esperam de mim. Deixe-me saber exatamente o que você quer.
- Sempre que puder, envie-me instruções antecipadas e detalhadas, os procedimentos vão me ajudar a entender claramente quais são suas expectativas quanto ao que devo fazer.
- Determine que eu execute atividades em que o uso de

minhas habilidades analíticas e minha incrível capacidade de prestar atenção a detalhes sejam necessárias.

- Deixe-me trabalhar em meu próprio ritmo ou com outros membros do time que apreciem meus pontos fortes.
- Elogie-me pelo meu trabalho bem-feito e recompense-me dando-me novas tarefas.

Como desmotivar?

- Saiba que ambientes de alta velocidade podem ser um desafio para mim.
- Não me dê clareza sobre os procedimentos.
- Não demonstre segurança sobre o objetivo.
- Coloque-me em ambientes de grande interação social.
- Ponha-me em trabalhos que envolvam muito risco.
- Faça-me trabalhar em ambientes que não tenham regras claras a seguir.
- Faça mudanças bruscas na descrição ou no fluxo de trabalho.
- Critique meu trabalho.
- Compare-me com outros profissionais.
- Indique-me para trabalhar para um gestor que espera decisões rápidas ou que seja muito falante.

Capítulo 10 — Inspire, engaje e mantenha a motivação

ATIVIDADE NO CANVAS

Coloque no Canvas o que você deveria passar a fazer e deixar de fazer para motivar o membro do time no ambiente de trabalho.

O que fazer para motivar:

ESTIMULANDO DIFERENTES NÍVEIS DE MATURIDADE EMOCIONAL

Bem, no passo L2 (capítulo 7), você descobriu que as pessoas do time podem estar em seis níveis de maturidade emocional. E apesar de, às vezes, líderes não terem tanta "motivação em motivar" determinados perfis, é importante desenvolver essa habilidade. Então, agora apresento a você o que o especialista Edward Morler[16] criou para que um líder entenda melhor como gerar rapport mais rapidamente e motivar indivíduos de acordo com o nível de maturidade de cada um, especialmente se quiser desenvolver "adaptagilidade":

Nível		Se identifica com	Motivado por
1 Líder	**Coragem**	É positivo, importa-se, é responsável, tem pontos de vista para resultados e alta integridade.	Demonstre autenticidade, integridade, compaixão e ação positiva.
2 Executor		É voltado a pessoas e acredita que a comunicação ajuda a melhorar o status quo.	Apresente perspectiva do todo que expanda suas possibilidades e ofereça oportunidades de crescimento pessoal.
3 Negociante	**covardia / desperdiça coragem**	É entretido, descontraído, quando não assediado.	Demonstre que tornará seu trabalho mais fácil, mostre o que ganhará com aquilo.
4 Opositor		Faz declarações e tem atitudes de hostilidade aberta contra um inimigo comum percebido.	Demonstre comportamento maduro, ouça ativamente. Convença com paciência e intensifique sua capacidade de ouvi-lo.
5 Manipulador		Fofoca, é sutilmente dissimulado, invalida os outros e é cínico.	Demonstre força e que sabe o que está fazendo. Tente trazê-lo para junto ouvindo-o. Não confie.
6 Vítima		Tem simpatia e concordância com a forma pela qual é vitimizado.	Desvie sua atenção para oportunidades, faça perguntas e levante opções, encoraje-o.

Desenvolver maturidade é essencial para exercer a liderança e você, como líder AdaptÁgil, precisa estar aberto para construir e manter relações interpessoais positivas com seu time, só assim será possível formar uma equipe de alta performance com seus seguidores. Ao conseguir lidar com os outros, você também se torna mais propenso a ser produtivo em sua carreira profissional. Como diz Timothy A. Judge et al. (1999): "Pessoas que desenvolvem maturidade em uma idade mais jovem fazem transições mais suaves para o mundo do trabalho, têm menos problemas com os supervisores e colegas de trabalho e são mais bem-sucedidas em termos de status ocupacional e salário."[17]

Capítulo 10 — Inspire, engaje e mantenha a motivação

REFLEXÃO DE LÍDER

A seguir, faça uma pausa para as seguintes reflexões:

1. *Reflita sobre sua capacidade de desenvolver e manter relacionamentos próximos. O que acha que deveria melhorar?*

2. *Você acha que demonstra coerência entre o que fala e o que faz?*

3. *Diante de situações instáveis ou de crise, como costuma reagir?*

A HORA DA ATERRISSAGEM

*"Aperte o cinto, vamos chegar,
Água brilhando, olha a pista chegando
E vamos nós!
Aterrar..."*

Antônio Carlos Jobim

Capítulo 11

É chegada a hora do pouso, o sentimento de alegria se une ao de tensão. Você está tão perto de chegar, porém este é um dos momentos de maior risco de todo o voo! A tripulação tem que concentrar toda sua atenção neste momento, não pode se dispersar, muito menos já comemorar vitória. É importante respeitar as etapas. Aqui é importantíssimo que o gestor mantenha o senso de urgência do time, mostre perseverança até o último momento, para, aí sim, comemorar, comemorar tanto as conquistas ao longo do caminho, como a vitória final – como se fazia ao pousar a aeronave: uma grande aclamação com salva de palmas.

L6: Mantenha o senso de urgência, persevere e celebre vitórias

MANTENHA O SENSO DE URGÊNCIA

Assim que terminei de criar o modelo FLAPS! em 2012 – ou melhor, uma versão simplificada do que ele é hoje –, tive a honra de apresentá-lo em uma palestra que fiz na Conferência Nacional de Ativação de Liderança (CONACT) de minha AIESEC. Naquele encontro, mais de 300 jovens líderes potenciais puderam conhecer em primeira mão o modelo que eu estava desenvolvendo para acelerar a transformação de potencial de liderança em Liderança AdaptÁgil efetiva.

Capítulo 11

Mantenha o senso de urgência, persevere e celebre as vitórias

Literalmente vestindo a camisa da AIESEC, maior organização de estudantes do mundo, diante da Petronas Towers, em Kuala Lumpur, capital da Malásia, em 2006.

Público que assistiu à minha palestra no CONACT, da AIESEC, em maio de 2012.

L1 L2 L3 L4 L5 **L6**

Conferência da AIESEC sobre liderança, na ilha de Bohol, nas Filipinas, 2006.

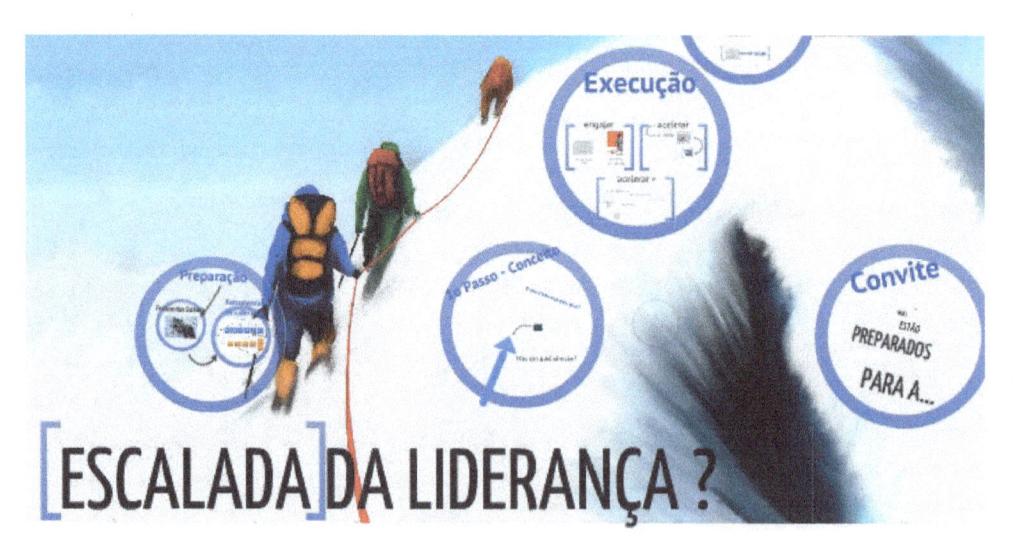

Você pode acessar a versão original do Prezi que apresentei naquele encontro no link:

https://prezi.com/l41gosue6nic/copy-of-aiesec-conect/

Capítulo 11 — **Mantenha o senso de urgência, persevere e celebre as vitórias**

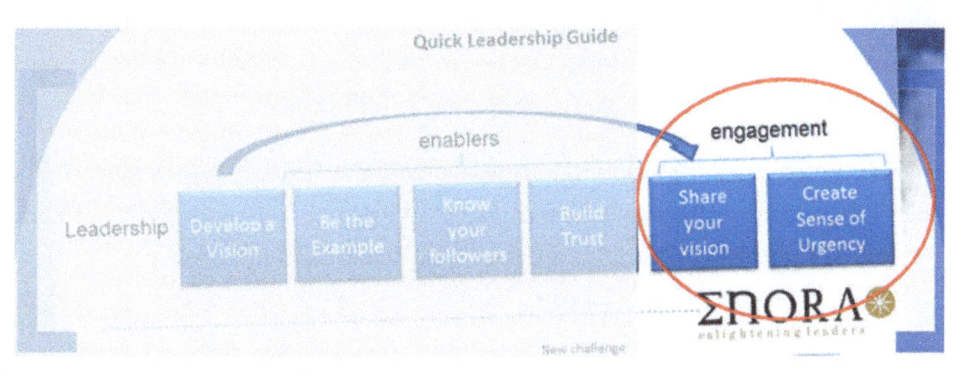

Figura 18 | Versão inicial do FLAPS! em 2012.

Veja que, desde o início, o senso de urgência aparece ao lado da visão como fatores de engajamento. Lembro-me de um professor de liderança que tive ensinar que a teoria do engajamento baseia-se em dois conceitos principais: compartilhar a visão e criar senso de urgência. Em minha posição de liderança, nunca me esqueci desses dois fatores essenciais para engajar o time até o último momento, especialmente quando estamos nos aproximando da visão. Não adianta somente dizer para as pessoas para onde ir... Se elas puderem ir a qualquer hora, isso não vai fazer com que se comprometam e comecem a ir de imediato, ainda que seja o momento adequado para se ganhar mais produtividade. Então, muita atenção nos momentos críticos, para "aterrissar" em resultados superiores.

> A importância do senso de urgência é muito grande, porém muitas vezes é negligenciada, tanto que John Kotter, um dos maiores especialistas do mundo nos temas liderança e mudança nas organizações, escreveu em um artigo: "Mais de 50% das companhias falharam nesta fase (*estabelecer senso de urgência, referindo-se ao primeiro passo de seu modelo de gestão de mudanças*). Quais são as razões para essa falha? Algumas vezes, executivos subestimam quão difícil pode ser **tirar as pessoas de sua zona de conforto**[1]."

Em entrevista concedida à minha querida professora Elaine Biech para a construção de sua "bíblia" de liderança, intitulada "ASTD Leadership Handbook" (Manual de Liderança da Sociedade Americana de Treinamento e Desenvolvimento), Kotter menciona: "Estou certo de que se você estabelecer o senso de urgência e conseguir fazer isso bem, então fará com que os demais passos (da mudança) se movam mais fácil e velozmente. Se você estabelecer o senso de urgência, vai ser mais fácil encon-

L1 L2 L3 L4 L5 L6

trar um grupo grande o bastante em nível de liderança com as forças e competências suficientes para promover a mudança – isso é o passo dois. Você não vai ter que forçar ninguém ao comitê de mudança. A maioria vai se voluntariar².''

Pense que, sempre que for implementar uma nova visão de liderança, vai estar implementando uma mudança na organização. Dessa forma, senso de urgência é fundamental não somente no fim do processo (como coloquei aqui no passo L6), mas ao longo dele. Optei por colocar este conceito de criar urgência e estimular sua sensação, para fazer você se lembrar de que esse senso de urgência, que mantém a chama do engajamento das pessoas acesa até o fim, é fundamental para garantir o sucesso da Liderança AdaptÁgil na implementação da visão. Como naquela expressão: "O jogo só termina quando o juiz apita". Você, como comandante deste voo, não pode largar o manche da aeronave justamente na hora do pouso – se rodar na pista ou tiver que arremeter, de nada terá adiantado seu voo perfeito até ali. E isso abre caminho para eu mostrar a você a importância da perseverança, em especial na gestão AdaptÁgil.

PERSEVERANÇA

No CONARH 2014, congresso nacional de RH realizado pela Associação Brasileira de Recursos Humanos, tive a oportunidade de assistir e conversar com um de meus ídolos em pensamento de liderança, **David Ulrich**, que, com seu companheiro Norm Smallwood, escreveu clássicos sobre o tema, como Código da Liderança e Liderança Baseada em Resultados.

Ele reforçou, de acordo com informações de pesquisas que lê, que o que realmente é essencial para definir líderes não é o QI, que mede a inteligência lógico-matemática, nem o QE, que mede a capacidade da pessoa de compreender e regular as suas emoções. Na verdade, o grande fator de diferencial e sucesso é o **Grit**.

Naturalmente, a plateia ficou pensando: "Ahhhhhhh, claro... mas, afinal, o que é Grit?"

Capítulo 11 — Mantenha o senso de urgência, persevere e celebre as vitórias

Bem, ele apresentou uma pesquisa realizada por Angela Lee Duckworth[3], compartilhada "com o mundo" em uma apresentação no TED, que se baseia em seus estudos na Academia Militar de Westpoint e também com crianças e professores na competição americana de soletragem "Spelling Bee" (guardadas as proporções... o equivalente ao nosso Soletrando do Luciano Huck, rs...), cuja principal conclusão é que as pessoas têm sucesso por causa desse tal de Grit, veja:

Angela Lee Duckworth:
A chave para o sucesso? A determinação.
TED Talks Education · 6:12 · Filmed Apr 2013
Subtitles available in 41 languages
View interactive transcript
https://youtu.be/gJD5eZ-_wnk

Acabando com o mistério – apesar de David Ulrich ter traduzido o termo "grit" como resiliência em sua apresentação, ou seja, a capacidade de a pessoa voltar ao seu estado normal após sofrer grande pressão –, ao analisar melhor as publicações de Angela Duckworth, descobri que o significado real em português é **PERSEVERANÇA** ou determinação. Nas palavras da autora, conforme seu estudo "Validação da Escala de Perseverança", **Grit é uma demonstração atitudinal de perseverança e paixão por metas de longo prazo**.

> Duckworth, Peterson, Matthews e Kelly (2007)[4] introduziram a definição de grit como um traço positivo de perseverança e paixão para alcançar objetivos de longo prazo. Eles afirmam que ter grit implica não só ter talento, mas também aplicá-lo com esforço, mantendo a determinação por longos períodos diante de experiências adversas para a realização de objetivos desafiadores.

L1 L2 L3 L4 L5 **L6**

Essa conclusão vai diretamente ao encontro de algo que venho ensinando nos treinamentos da Enora Leaders, quando reforço, acima de tudo, a importância de demonstrar superação e determinação, traços básicos de liderança. Muito antes de conhecer esse estudo sobre perseverança, sempre usei como fonte para mostrar a relação entre essa característica e o sucesso de líderes a pesquisa "Empresa dos Sonhos dos Jovens", da Cia de Talentos, que anualmente revela as características mais admiradas em líderes por jovens brasileiros. Os resultados sempre apontam características relacionadas ao Grit, como persistência e determinação, assim como empreendedorismo, que não deixa de ser a capacidade de tentar algo difícil, de perseguir e executar um sonho/visão. Segundo dados de 2014, para os jovens, um bom líder precisa ter iniciativa (94%) e saber inspirar e motivar pessoas (89%). Barack Obama, Steve Jobs e Bill Gates foram os três primeiros da lista mundial.

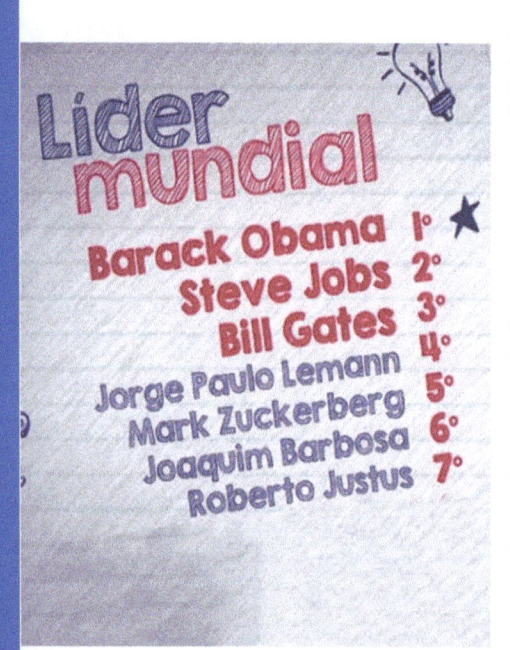

Líder mundial
Barack Obama 1º
Steve Jobs 2º
Bill Gates 3º
Jorge Paulo Lemann 4º
Mark Zuckerberg 5º
Joaquim Barbosa 6º
Roberto Justus 7º

Líderes com os quais os jovens se identificam – 2014

Fonte: Pesquisa "Empresa dos Sonhos dos Jovens" – 13ª edição

Barack Obama foi escolhido pelos jovens brasileiros em 2014 por sua habilidade de superar barreiras (31%), além de ter características pessoais como determinação e disciplina (28%).

Steve Jobs e **Bill Gates** destacaram-se por sua capacidade de inovar (60%) e empreender (41%), respectivamente.

Para desdobrar ainda mais o conceito de **FOCO NO LONGO PRAZO**, também é possível encontrar mais informações no artigo "Seu Cérebro em Funcionamento", de Adam Waytz e Malia Mason (Harvard Business Review, fevereiro de 2014), que trata sobre o Líder FOCADO, ou seja, aquele que atinge maiores resultados, segundo a **neurociência.**

Capítulo 11 — **Mantenha o senso de urgência, persevere e celebre as vitórias**

"Descobertas recentes sobre a rede do controle (responsável por alinhar nossa atividade cerebral e nosso comportamento com os nossos objetivos, ajudando a priorizar o que fazer) reforçam o que os melhores líderes afirmam sobre aniquilar a disputa entre demandas por meio do foco: as empresas deveriam limitar o número de iniciativas estratégicas que assumem para apenas algumas que sejam gerenciáveis. Exigir que as pessoas persigam várias metas fragmenta a atenção e dificulta a execução de qualquer trabalho meticuloso. Com um número excessivo de objetivos para manter e monitorar, a rede do controle (em nosso cérebro) distende ainda mais seus recursos limitados e, assim, passamos a nos esforçar mais para dar a atenção necessária a todas as responsabilidades que assumimos."

Outro artigo interessante, também publicado pela revista *Harvard Business Review Brasil* (edição de dezembro de 2013) e que reforça a importância desse conceito, é "Líderes Focados" (The Focused Leader), com ideias do último livro de Daniel Goleman, *Foco: A Atenção e seu Papel Fundamental para o Sucesso* (*Focus: The Hidden Driver of Excellence*).

Isso mostra como liderar atualmente, em um mundo VUCA, dá bastante trabalho, já que a todo o momento o líder se depara com mudanças e imprevistos cada vez mais frequentes e é colocado à prova para se manter focado e determinado, superando as barreiras encontradas para atingir objetivos de longo prazo. Mas lembre-se de que o seu nível de perseverança como líder AdaptÁgil está sendo observado continuamente pelo time, por pares e gestores, para decidirem se vão seguir você ou não em sua "odisseia". Em um mundo com tanta informação e, acima de tudo, interação entre as pessoas, manter o foco e persistir são tarefas cada vez mais difíceis, mas, se você mantiver a paixão e se ativer ao objetivo de longo prazo, tem chances de sucesso muito maiores.

Alguns estudos realizados pela faculdade de Stanford comprovaram que, na verdade, as crianças que mais obtêm sucesso não são exatamente aquelas com o QI mais alto, mas aquelas que resistem a seus impulsos iniciais, conforme conta Daniel Goleman:

> "Resumindo, alunos de 4 anos de idade da pré-escola de Stanford foram levados a uma sala, um por um. Na sala, havia uma mesa na qual foi colocado um marshmallow diante de cada um. Foi dito a cada um deles: 'Você pode comer esse marshmallow agora, se quiser. Mas, se não o comer até eu voltar de algo que tenho que fazer, poderá ganhar dois, quando eu regressar'. Depois de 14 anos, quando estavam concluindo o segundo grau, foi feita uma comparação entre as crianças que tinham comido logo o marshmallow e as que tinham esperado para receber dois. Constatou-se que os que haviam agarrado logo o marshmallow tinham, em relação aos que haviam esperado, uma probabilidade maior de desmoronar sob pressão, tendiam com maior frequência a ficar irritados e a puxar briga e apresentavam menor capacidade de resistir a tentações na busca de seus objetivos. Contudo, o que mais surpreendeu os pesquisadores foi um efeito inteiramente inesperado. As crianças que haviam esperado para ganhar o segundo marshmallow, em comparação às que não esperaram, tinham em média notáveis 210 pontos a mais (de um total possível de 1.600) nas notas do SAT (o equivalente a um ENEM no Brasil)."

Então, agora chegou a hora de refletir sobre o que é, afinal, motivação. No dia a dia, fala-se bastante sobre o nível de autoconfiança do profissional ao desempenhar determinada tarefa e também é muito comum ouvir isto: "o time está desmotivado", "aquele jovem profissional é ultramotivado", e por aí vai. Somando esses dois fatores – autoconfiança e motivação –, temos o que denomino de engajamento.

Nesse ponto, você vai descobrir que o segredo dos grandes líderes está em perseverar até o fim (como as crianças que resistiram até obter a melhor recompensa na pesquisa dos marshmellows) e, quando o gongo toca, em comemorar o resultado!

Capítulo 11

Mantenha o senso de urgência, persevere e celebre as vitórias

A   EXERCÍCIO DE AUTOCONHECIMENTO

Quer saber o seu grau de perseverança?

Faça a autoavaliação GRIT online.

https://flaps.enora.com.br/assessments/grit

COMEMORE!

Comemore muito, comemore sempre com sua equipe! Como já disse, uma das regras mais importantes na gestão de mudanças é comemorar durante o processo, não deixar para comemorar tudo de uma vez ao final. Isso porque se, ao longo do caminho, você for consolidando as vitórias, as pessoas começam a compreender que estão no caminho certo, o que gera aumento no engajamento, estimula novas ideias (*insights*), consolida aprendizados, aumenta a motivação e ajuda a criar novos hábitos positivos.

> "O número de conexões possíveis entre os neurônios do cérebro é maior que o número de átomos no universo."
>
> Dr. John Ratey, professor clínico associado de Psiquiatria da Harvard Medical School (2003)

A importância essencial que a comemoração tem para o sucesso da performance dos membros de seu time está profundamente arraigada à forma pela qual nosso cérebro cria novos conceitos. Os 86 bilhões de neurônios em nosso cérebro podem se conectar a um número próximo ao infinito. Quanto mais estímulos que façam as pessoas pensar e se desenvolver, por meio de diversos métodos (*como aplicado neste livro*) que permitam aos membros do time atingir resultados com maior autonomia, mais essas novas conexões cerebrais tendem a acontecer. São as chamadas sinapses, conexões que interligam os neurônios por meio de neurotransmissores, substâncias responsáveis pela transmissão de informações entre neurônios.

L6 COMUNICAÇÃO ENTRE NEURÔNIOS
AGORA VEM O GRANDE PONTO

Quanto mais as pessoas são estimuladas a produzir esses neurotransmissores, que as fazem se sentir bem, vitoriosas e felizes, maior a chance da nova sinapse "colar", ou seja, tornar-se permanente!

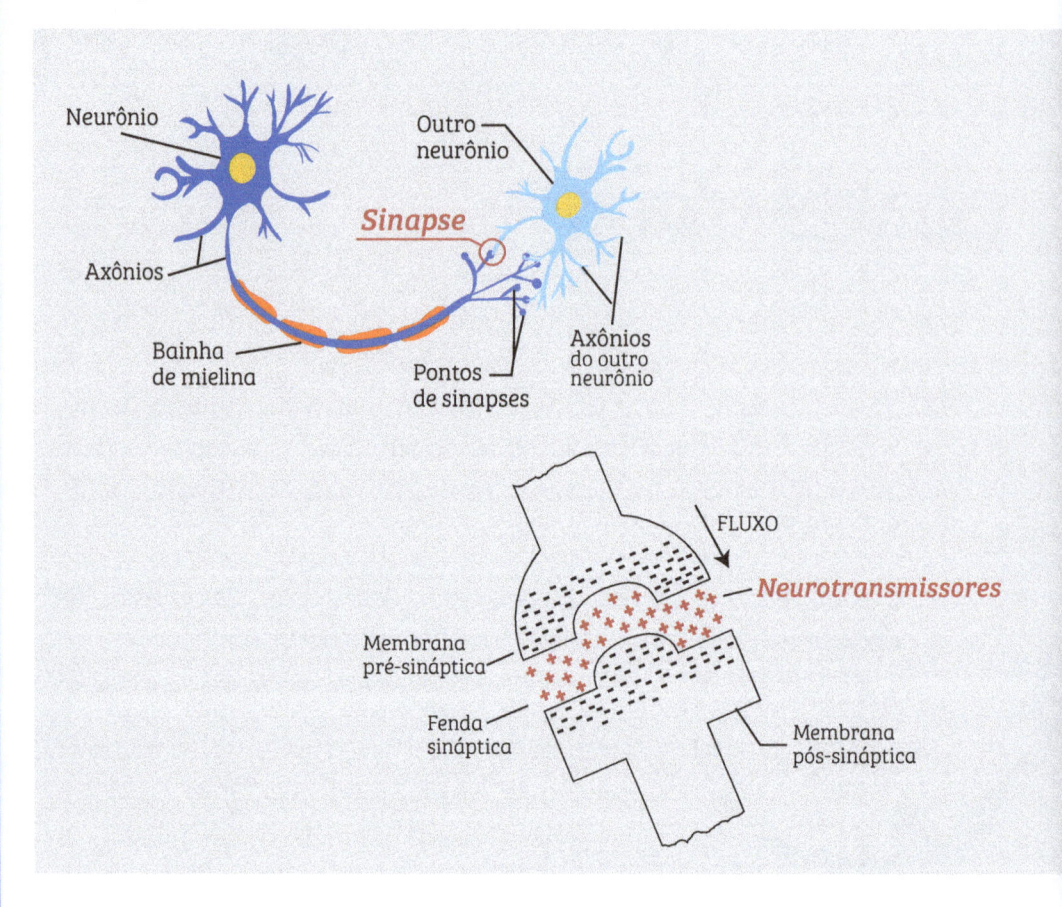

Dessa forma, você, como líder AdaptÁgil, tem como uma de suas funções comemorar, promover o bem-estar, o bom clima na equipe e também com outras áreas da empresa, justamente para impulsionar o desempenho do time a alcançar resultados consistentes, adaptando suas estratégias de gestão quando necessário, com muitos insights e aprendizagem consolidada.

Como método para promover essas sinapses e bem-estar nas pequenas comemorações do dia a dia, sugiro a você utilizar um método disseminado pelo genial neurocientista David Rock em seu livro *Liderança Tranquila – Não diga aos outros o que fazer: Ensine-os a pensar!* (Quiet Leadership). Uma das sugestões de Rock é que você aplique o método chamado SENTIR (em inglês, *feeling*).

De acordo com esse método, cada vez que se reunir com um membro de seu time e quiser consolidar o progresso dele até o momento, garantindo que ele retenha aprendizados e se anime com as pequenas vitórias, pode seguir a seguinte sequência com ele:

1) Fatos

Levante quais são as evidências de evolução do membro de seu time, o que ele cumpriu? Em que evoluiu?

2) Emoções

Pergunte a ele como se sentiu quando atingiu esses bons resultados. Pense em tudo que aprendeu sobre emoções neste livro. São elas que direcionam a motivação, a retenção do conhecimento e aumentam o engajamento de seu colaborador com a visão.

3) Incentivo

Reconheça o resultado por parte do colaborador, incentive-o a prosseguir nessa rota.

4) Aprendizado

Peça para ele contar a você o que aprendeu de novo com essas experiências. Promova a consolidação do conhecimento.

5) Implicações

Pergunte a ele o que vai fazer com esse novo conhecimento, como isso o apoiará em seus outros desafios na área ou na carreira, como será útil para ele e para seus colegas.

6) Novas Metas

Consolidada essa vitória de curto prazo, traga novos desafios para que ele vença ainda mais, defina um prazo para tornarem a se falar e faça este mesmo processo de acompanhamento.

Não deixe passar muito tempo para realizar os próximos encontros, deixando no máximo um mês entre um e outro. Lembre-se, você precisa inundar de estímulo os cérebros de seus liderados para que tenham uma performance ainda melhor no momento final!

COMEMORE MUITO!
e com pessoas que não conhece também.

Capítulo 11 — Mantenha o senso de urgência, persevere e celebre as vitórias

ATIVIDADE NO CANVAS

Inclua no Canvas os milestones (pontos específicos que ajudam a marcar se o andamento de um projeto vai bem) que pode colocar em relação à sua visão e que tipo de comemoração você pode fazer com as pessoas do time em cada um!

Quais foram as novas conexões que você criou a partir da leitura deste livro?

L6 – MANTENHA O SENSO DE URGÊNCIA, PERSEVERE E CELEBRE AS VITÓRIAS

- *Minha nota na autoavaliação GRIT:*

- *Milestones da visão (objetivo/comemoração)*

- *Novas conexões*

- *Insights e novos aprendizados com o livro:*

Conexão para o próximo voo: pensamentos finais

A CONEXÃO PARA O PRÓXIMO VOO
pensamentos finais

PARABÉNS!

Você pousou seu avião com sucesso e agora está sendo aplaudido pela tripulação. É um momento importante para você consolidar os aprendizados e como vai poder aplicá-los em seu cotidiano daqui para frente. Proponho que use a ferramenta abaixo para guiá-lo ao que você vai começar a fazer, continuar a fazer e parar de fazer.

Tenho duas notícias. Como você não é preguiçoso como os demais "seres humanos" vai gostar de ambas, então, posso dizer que são duas boas notícias. Antes disso, saiba que você está esquecendo boa parte do que leu neste livro agora mesmo... Bem, de acordo com o cientista alemão Hermann Ebbinghaus[1], especialista no estudo científico da memória, após um dia apenas você terá esquecido quase 70% do que aprendeu aqui. Então, a primeira boa notícia é que, por ter aplicado o Canvas e os exercícios online ao longo da leitura do livro, seu nível de esquecimento foi bem reduzido, já que muita prática foi feita durante seu processo de aprendizagem. Lembre-se: a aplicação imediata (se possível ainda hoje) com os membros de seu time, pares e até familiares dos conceitos do livro será fundamental para o sucesso e impacto em seu desempenho como líder AdaptÁgil, portanto, empenhe-se para extrair o máximo desta experiência.

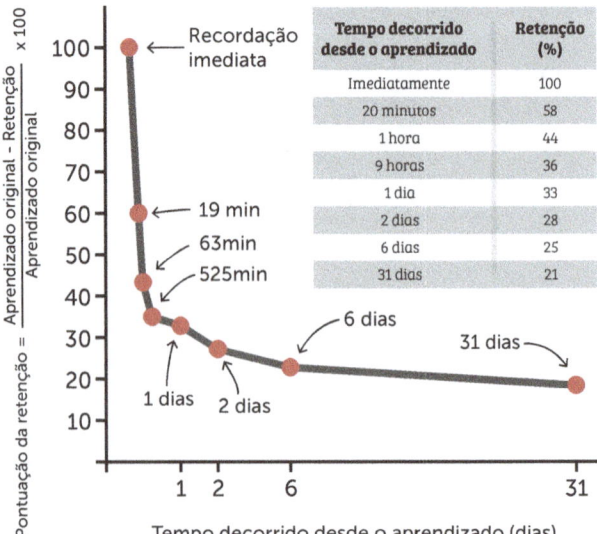

Tempo decorrido desde o aprendizado	Retenção (%)
Imediatamente	100
20 minutos	58
1 hora	44
9 horas	36
1 dia	33
2 dias	28
6 dias	25
31 dias	21

A segunda boa notícia (ainda melhor) é que nossa jornada de aprendizagem juntos não terminou. Lembra-se dos 6 pontos do modelo FLAPS!: Formar, Liderar, Acompanhar, Planejar, Suportar e Comemorar? O que apresentei a você em todo este livro foram duas funções: Liderar e Comemorar.

Além disso, com esta plataforma que você ingressou online junto a este livro, você terá acesso constante ao que há de melhor no mundo em termos de desenvolvimento de liderança e gestão. O que digo é que trabalhar habilidades comportamentais, como em liderança, é como academia de ginástica, tem que fazer exercícios ao menos 3 vezes por semana e se ficar muito tempo sem fazer… atrofia, se desleixar sai de forma. Cuide do mais importante órgão de seu corpo que é seu cérebro, trate bem dele que seu crescimento será exponencial!

No próximo livro, vou abordar a segunda parte do modelo, que inclui mais a Gestão de Pessoas, com foco menos comportamental e mais processual. Essa próxima fase é importantíssima para garantir que não só chegaremos ao Resultado Esperado, mas que chegaremos de forma ágil e eficiente. Entre os processos que você vai conhecer melhor estão: Planejamento, Escolha de Recursos necessários, Desenvolvimento de Pessoas (Coaching, Mentoring, Treinamento, PDI), Seleção e Entrevistas por competência, Resolução de Conflitos, Tomada de Decisão e Resolução de Problemas. Além disso, você verá como acompanhar KPIs, dar feedbacks e recompensar os membros do time.

> E aqui chegamos ao fim desta primeira etapa do FLAPS! Espero que tenha aproveitado este início de sua jornada para se conhecer mais e entender melhor os caminhos da Liderança AdaptÁgil. Gostaria de encontrar você novamente para trilhar a segunda parte do FLAPS!, sobre Gestão AdaptÁgil de Pessoas! Você ainda vai se empolgar muito pela frente em seu caminho para se tornar um líder-gestor AdaptÁgil ainda mais bem-sucedido!
>
> Espero você para percorrer uma ótima nova jornada.
> Muito sucesso a você e até lá!
>
> J. M. Furlan

NOTAS

Introdução

1. "Business Wire Survey" (2007).

2. Na esfera de Recursos Humanos, *turnover* é a substituição de um colaborador por outro. As saídas de colaboradores das organizações podem ser por aposentadoria, morte, transferência ou demissão. O *turnover* de uma organização é medido pela taxa de rotatividade, ou seja, o percentual de pessoas que compõem uma força de trabalho que saem durante um determinado período de tempo. Organizações e setores costumam mensurar sua taxa geral de *turnover* durante um ano fiscal. Ele pode ser "voluntário" (por melhores ofertas de trabalho, conflito pessoal ou falta de oportunidades de progressão na carreira) ou "por demissão" (desempenho ruim ou conflito pessoal). Gera prejuízos quando profissionais de alta performance deixam a organização por uma melhor oferta ou por não ter oportunidades de progressão na carreira, já que um *turnover* alto não só custa muito, como também pode gerar má reputação para a empresa.

PARTE I – COMO SE FORMAM OS LÍDERES

Capítulo 1 – Aprendendo a voar: A disposição de querer ir além

1. Aeronáutica, Jornal do Commercio, nº 287 (RJ: Propriedade de Rodrigues & Comp., 15 out. 1900), p. 2.
2. Cláudio de Cápua, Santos Dumont: Domador do Espaço (EditorAção, 2015), pp.
3. Cláudio de Cápua. Op.cit. p.
4. Cláudio de Cápua. Op.cit. p.
5. Cláudio de Cápua. Op.cit. p.
6. O primeiro aviador das Américas a cruzar o Oceano Atlântico sem auxílio de navios de apoio foi o brasileiro João Ribeiro de Barros em 1927.
7. Wikipédia: verbete "Santos Dumont".
8. Wikipédia: verbete "Vale do Silício Brasileiro".

Capítulo 2 – Última chamada antes da decolagem: Afinal, você quer mesmo voar?

1. Malcolm Knowles, *The Adult Learner: The Definitive Classic in Adult Education and Human Resource Development* (Butterworth-Heinemann; 6ª ed., 2005).

Capítulo 3 – A escola de pilotos: Como se prepara um líder?

1. Jill Berkowicz e Ann Myers, "Leadership is a State of Mind", *Education Week*, abril 2014.
2. Ver vídeo "Black Eyed Peas – I Gotta Feeling (live with Oprah)", no YouTube (https://www.youtube.com/watch?v=oX6oSs7FHs0).

3. Dorothy Pomerantz, *Oprah Winfrey Regains nº 1 Slot on Forbes 2013 List of The Most Powerful Celebrities*, site da Forbes, 26 jun. 2013 (http://www.forbes.com/sites/dorothypomerantz/2013/06/26/oprah-winfrey-regains-no-1-slot-on-forbes-2013-list-of-the-most-powerful-celebrities/).

4. Wikipédia: verbete "Peter Drucker".

Capítulo 4 – Alçar voo e sair da zona de conforto para ser um líder AdaptÁgil

1. Ver site da AIESEC (www.aiesec.org.br).

2. "Massa" quer dizer "legal" na gíria de quem vive em Campinas, interior do Estado de São Paulo, Brasil.

3. Gregory Burns, *O Iconoclasta: Um neurocientista revela como pensar diferente* (Best Business, 2009).

4. Kirk Lawrence, *Developing Leaders in a VUCA Environment*, UNC Executive Development (2013).

5. Bob Johansen, *Leaders Make the Future: Ten New Leadership Skills for an Uncertain World* (Berrett-Koehler Publishers, 2012).

6. *Ready-Now Leaders: Meeting Tomorrow's Business Challenges Global Leadership Forecast 2014/2015*, The Conference Board & DDI (2014).

7. Martin Reeves, Ming Zeng e Amin Venjara, "The Self-Tuning Enterprise", *Harvard Business Review*, (junho, 2015), pp.76-83.

8. Jeff Sutherland, Scrum: The Art of Doing Twice the Work in Half the Time (Crown Business, 2014).

Capítulo 5 – O plano de voo: Passo a passo para acelerar sua liderança AdaptÁgil

1. Adaptado de Maria Candida Della Libera, "Carreira em 'Y' e Retenção de Talentos", *Revista BSP*, julho de 2011.

2. Reproduzido do site da empresa Sherwin-Williams.

3. Ram Charan, James Noel e Stephen Drotter. *Pipeline de Liderança – Desenvolvimento de Líderes Como Diferencial Competitivo* (Campus/Elsevier, 2ª ed., 2013).

4. Lou Russel, "Leadership Development", *Infoline* (ASTD Press, jun. 2005).

5. Richard L. Daft, *Management* (South-Western College Pub, 12ª ed., 2015).

6. Maria Rita Gramigna, *Modelo de Competências e Gestão dos Talentos* (Prentice Hall/ Pearson, 2ª ed., 2007).

7. Ron Rabin, white paper: "Blended Learning for Leadership", The CCL approach, 2014.

8. Malcolm Gladwell, *Fora de Série – Outliers: Descubra por que algumas pessoas têm sucesso e outras não* (Sextante, 2008).

9. O dado surpreendente apontado por M. Gladwell é o fato de que, para se alcançar o nível de excelência em qualquer atividade e se tornar alguém altamente bem-sucedido, são necessárias nada menos do que 10 mil horas de prática – o equivalente a três horas por dia (ou 20 horas por semana) de treinamento durante 10 anos.

10. Phillippa Lally, Cornelia H. M. Van Jaarsveld, Henry W. W. Potts e Jane Wardle, "How Are Habits Formed: Modelling habit formation in the real world", *European Journal of Social Psychology*, 40, University College London (2010), pp. 998–1009.

11. Se você buscar no Google, vai receber como resposta uma série de sites informando que um hábito novo se forma em 21 dias. Na verdade, não existe nenhuma evidência sólida para esse número. O mito dos 21 dias surgiu de um livro publicado em 1960 por um cirurgião plástico, Dr. Maxwell Maltz.

PARTE II – DESCOBRINDO O PROCESSO DE LIDERANÇA ADAPTÁGIL

Capítulo 6 – Voar para onde? Defina seu destino... ou sua VISÃO de líder
L1: Desenvolva sua visão

1. Ken Blanchard, *Liderança de Alto Nível: Como Criar e Liderar Organizações de Alto Desempenho* (Bookman, 2011).

2. Ken Blanchard. Op.citt. p.19.

3. Geoffrey Bellman, com Kathleen Ryan e Kevin Coray, *Extraordinary Groups: How Ordinary Teams Achieve Amazing Results* (Jossey-Bass, 2009).

Capítulo 7 – Você conhece bem a sua tripulação?
L2: Conheça seus seguidores

1. Stephen R. Covey, *The 7 Habits of Highly Effective People: Powerful Lessons in Personal Change* (Simon & Schuster, 2013).

2. Notícia sobre a aquisição da Inscape pela Wiley, que passou a deter os direitos sobre o método DISC® – "Wiley acquires Inscape, a leading provider of DISC®-Based Learning Solutions", fev. 2012 (http://www.wiley.com/WileyCDA/PressRelease/pressReleaseId-102517.html).

3. Wikipédia: verbete em inglês "William Moulton Marston".

4. William Moulton Marston, *As Emoções das Pessoas Normais* (Success For You, 1ª ed., 2014).

5. William Moulton Marston, *Emotions of Normal People* (Cooper Press, 2014), capítulo 2.

6. Jeffrey Sugerman, Mark Scullard e Emma Wilhelm, *The 8 Dimensions of Leadership – DISC® Strategies for becoming a better leader* (Berret-Koehler Publishers, 1ª ed., 2011).

7. E. G. Sebastian, *Communication-Skills Magic* (Createspace, 2010).

8. Neste voo (1650), o mais longo do Brasil, que percorre 5.753 km em 13 horas, na realidade, a tripulação muda em sua parada em Manaus. Ver matéria no site da revista *Superinteressante* (http://super.abril.com.br/cotidiano/voo-mais-longo-pais-774740.shtml).

9. Ken Blanchard, *Liderança de Alto Nível: Como Criar e Liderar Organizações de Alto Desempenho* (Bookman, 2011).

10. Paul Hersey, Kenneth Blanchard e Dewey E. Johnson, *Management of Organizational Behavior: Utilizing Human Resources* (Prentice Hall, 2ª ed., 1972).

Capítulo 8 – É seguro voar com você?
L3: Construa confiança e uma relação de respeito

1. John C. Maxwell, *As 21 Irrefutáveis Leis da Liderança – Uma receita comprovada para desenvolver o líder que existe em você* (Thomas Nelson Brasil, 2013), capítulo 6.

2. Stephen M. R. Covey é filho do consagrado autor Stephen R. Covey, autor de *best-sellers* como *Os 7 Hábitos das Pessoas Altamente Eficazes* e *O 8º Hábito*.

3. Stephen M.R. Covey e Greg Link, com Rebecca R. Merrill, *A Confiança Inteligente* (Leya, 2013).

4. John F. Helliwell, Haifang Huang e Robert D. Putnam, artigo "How's the Job? Are trust and social capital neglected workplace investments?", in: *Social Capital – Reaching Out, Reaching In*, editado por: Viva Ona Bartkus & James H. Davis (Edward Elgar Pub., 2009), cap.4.

5. John C. Maxwell. Op.cit. cap.6.

6. Stephen M. R. Covey, artigo "How the Best Leaders Build Trust", publicado no site LeadershipNow.com (2009) (http://www.leadershipnow.com/CoveyOnTrust.html).

7. Adaptado de Stephen M. R. Covey, *A Velocidade da Confiança* (Campus/Elsevier, 2007).

8. Ken Blanchard, Cynthia Olmstead e Martha Lawrence, *Trust Works!: Four Keys to Building Lasting Relationships* (William Morrow, 2013).

9. O ABCD Trust Model® é marca registrada da Blanchard Companies.

10. Ken Blanchard, Cynthia Olmstead e Martha Lawrence. Op.cit.

11. Leigh L. Thompson, *The Mind and Heart of the Negotiator*, in: Part II Advanced Negotiation Skills, (Prentice Hall, 2010), capítulo 6, pp. 137-138.

12. "Bode expiatório" significa "alguém escolhido para ser sacrificado". Em sentido figurado: "alguém escolhido arbitrariamente para levar a culpa (sozinho) de algum evento negativo", ou seja, ser responsabilizado por algum problema que ocorreu – a expressão vem da prática da tradição hebraica do Yom Kippur, quando separavam um bode do rebanho para que vivesse sozinho no ambiente selvagem.

13. David Rock, *Liderança Tranquila – Não diga aos outros o que fazer: Ensine-os a pensar!* (Campus, 2006).

Capítulo 9 – Aperte o cinto, é hora de decolar!
L4: Compartilhe sua visão, envolva e ouça o time. Influencie

1. Daniel Goleman, *Inteligência Social: O Poder das Relações Humanas* (Campus/Elsevier, 2006), p.29.

2. Albert Mehrabian, *Silent Messages: Implicit Communication of Emotions and Attitudes* (Wadsworth Pub. Co., 1972) e paper: "Communicating without Words", *Psychology Today* (1968), pp. 52-55.

3. Adaptado de E. G. Sebastian, *Communication-Skills Magic* (Createspace, 2010).

4. Simon Sinek, *Start with Why: How Great Leaders Inspire Everyone To Take Action* (Portfolio, 2011).

5. Harold Scharlatt e Roland Smith, *Influence: Gaining Commitment, Getting Results*. Série: Ideas Into Action, Center for Creative Leadership (CCL), 2011. (http://solutions.ccl.org/Influence_Gaining_Commitment_Getting_Results__(Second_Edition)).

6. Robert B. Cialdini, *Influence: Science and Practice* (Boston: Allyn & Bacon, 5ª ed., 2008).

7. Adaptado de Gary Yukl, *Leadership in Organizations* (Prentice Hall, 8ª ed., 2012). Cap.8, p.29. A adaptação aos perfis do DISC® teve como base a compilação de respostas de centenas de profissionais participantes de workshops implementados pela Enora Leaders.

8. Edward E. Morler, *The Leadership Integrity Challenge: Assessing an Facilitating Emotional Maturity* (Sanai Publishing, 2ª ed., 2006).

Capítulo 10 – Vencendo desafios do voo de cruzeiro
L5: Inspire, engaje e mantenha a motivação

1. John H. Zenger, Joseph H. Folkman e Scott K. Edinger, *The Inspiring Leader: Unlocking the secrets of how extraordinary leaders motivate* (McGraw-Hill Education; 1ª ed., 2009).

2. John H. Zenger, Joseph H. Folkman e Scott K. Edinger. Op.cit

3. John H. Zenger, Joseph H. Folkman e Scott K. Edinger. Op.cit.

4. Ver pesquisa "The State of the Global Workplace – Employee Engagement Insights for Business Leaders Worldwide", do Instituto Gallup, out. 2013 (http://www.gallup.com/poll/165269/worldwide-employees-engaged-work.aspx).

No livro "Inspiring Leader: Unlocking the Secretes of How Extraordinary Leaders Motivate" , capítulo 2, John Zenger et al. explicam que a leitura para este gráfico é do número relativo, ou seja o percentual, de pessoas que concordaram com os seguintes argumentos: 1) em minha unidade ou departamento, nós tentamos continuamente melhorar os processos de trabalho, procedimentos, e fluxo de trabalho para melhorar a produtividade geral; 2) Condições no meu trabalho me permitem ser o quão produtivo eu posso ser; 3) Em minha unidade de negócios ou departamento, tem pouco tempo perdido porque as pessoas podem ser produtivas sem atrasos ou distrações; 4) As reuniões que participo são um uso produtivo de meu tempo.

5. Daniel Goleman, *Liderança: A Inteligência Emocional na formação do líder de sucesso* (Objetiva, 2015).

6. Daniel Goleman. Op.cit.

7. Ken Blanchard, *Liderança de Alto Nível: Como Criar e Liderar Organizações de Alto Desempenho* (Bookman, 2011), capítulo 5.

8. No livro de Blanchard, o termo que ele usa oficialmente é "*coaching*" para o estilo 2. No entanto, optei por utilizar o termo "treinamento", pois ele representa melhor em português o que deve ser feito neste passo: dar orientação clara de como fazer. No *coaching* execu-

tivo, o *coach* não deve (se possível, nunca) induzir o *coachee* em sua forma de resolver seus dilemas, ele apenas faz o papel de condutor do *coachee* a suas respostas a partir de suas próprias conclusões, a partir de um método baseado em perguntas direcionadas e estruturadas para alcançar esse fim. O *coaching*, portanto, é muito mais parecido aos estilos 3 e 4 do que com o estilo 2. O motivo dessa discordância entre o termo original e a tradução para o português se deve ao fato de "*coaching*" em inglês remeter ao papel de técnico esportivo, que orienta e incentiva de perto os atletas quando começam a desanimar.

9. A prática do *coaching*, uma das técnicas para desenvolver pessoas, será abordada na segunda parte do FLAPS!, que vai tratar de Gestão de Pessoas.

10. Travis Bradberry e Jean Greaves, *Leadership 2.0: Learn the secrets of adaptive leadership* (TalentSmart, 2012), p.8.

11. Travis Bradberry e Jean Greaves, *Emotional Intelligence 2.0* (TalentSmart, 2009).

12. Douglas Stone e Sheila Heen, *Thanks for the Feedback: The science and art of receiving feedback well* (Penguin Books, 2015).

13. Daniel Goleman, *Trabalhando com a Inteligência Emocional* (Objetiva, 1999), capítulo 6, p. 121.

14. Daniel Goleman. Op.cit. Capítulo 6, p. 126.

15. Daniel Goleman. Op.cit. Capítulo 6, p. 127.

16. Edward E. Morler. Op.cit.

17. Timothy A. Judge, Chad A. Higgins, Carl J. Thoresen e Murray R. Barrick, "The Big Five personality traits, general mental ability, and career success across the life span". *Personnel Psychology*, 52 (1999), pp.621-652.

Capítulo 11 – A hora da aterrissagem
L6: Mantenha o senso de urgência, persevere e celebre as vitórias

1. John Kotter, artigo "Leading Change: Why Transformation Efforts Fail", *Harvard Business Review*, jan.2007.

2. John Kotter, "ASTD Leadership Handbook", p. 91.

3. Angela Lee Duckworth e Lauren Eskreis-Winkler, artigo: "True Grit", *Observer*, v.26, nº 4, abril 2013 (https://www.psychologicalscience.org/index.php/publications/observer/2013/april-13/true-grit.html).

3. Angela Lee Duckworth, Christopher Peterson, Michael D. Matthews e Dennis R. Kelly, "Grit: Perseverance and passion for long-term goals". *Journal of Personality and Social Psychology*, 92, (2007), pp. 1087-1101.

EPÍLOGO
Capítulo 12 – Conexão para o próximo voo: pensamentos finais

1. CHSAPPsych: verbete "Hermann Ebbinghaus" (https://chsappsych.wikispaces.com/Ebbinghaus,+Hermann).

Tabela de conteúdos gráficos

Página	Tipo	nº	Descrição
8	Foto	1	Vista da janela do avião no voo UA0465
8	Foto	2	No avião, viajando para Dallas
12 e 13	Gráfico	1	Modelo FLAPS v10.2015
17	Figura	1	Santos Dumont a bordo do balão "Brasil"
18	Figura	2	Santos Dumont contornando a Torre Eiffel com o dirigível número 5, em 13 de julho de 1901
18	Figura	3	Santos Dumont leva aos céus o 14-Bis nos campos de Bagatelle - Paris, em 23 de outubro de 1906
18	Figura	4	Le Petit Journal 25 Novembro 1906
25	Foto	3	À frente do Diretório Acadêmico Insper no 1º Fórum da Cidadania
27	Gráfico	2	Linha da Vida
31	Gráfico	3	Definições da liderança
32	Figura	5	Print do Youtube Black Eyed Peas - I Gotta Feeling (live with Oprah)
32	Ilustração	1	Black Eyed Peas with Oprah
34	Figura	6	Capa Business Week 28 Novembro de 2005
34	Gráfico	4	Função da Liderança
36	Ilustração	2	Voo NY-Beijing
37	Ilustração	3	Composição com shutterstock_112962823
39	Foto	4	Na Whirlpool, como trainee na área de Marketing em 2004
40	Ilustração	4	Composição com Free Vector Maps GLB-AS-01-0001, PH--EPS-02-0001
40	Ilustração	5	Colagem João Kirk
41	Foto	5	Tela de status do voo para as Filipinas
45	Figura	7	shutterstock_205953598
46	Figura	8	shutterstock_113788327
51	Gráfico	5	Mapa da Carreira em Y (Adaptado de Maria Candida Della Libera. Revista BSP, Julho de 2011). Inspirado no mapa do Metrô de SP
52	Gráfico	6	Redesenho e tradução de: Carreira em Y Sherwin Williams
52	Gráfico	7	Adaptado de: CHARAN, Ram. NOEL, James. DROTTER, Stephen *The Leadership Pipeline How To Build The Leadership Powered Company*. WILEY, 2014
55 e 56	Tabela	1	Fatores que deveriam ser extremamente reduzidos ou deixados para trás quando se torna um gestor de primeiro nível, Drotter Human Resources Inc.
56	Gráfico	8	Vogais da Liderança

Notas

57	Gráfico	9	Autoconhecimento a liderança
40	Ilustração	6	Como os adultos aprendem, Ron Rabin, white paper: *Blended Learning for Leadership*, The CCL approach, 2014.
72	Figura	9	shutterstock_248962498
73	Foto	6	Com Ken Blanchard, durante o congresso da ASTD em Dallas v2013
73	Ilustração	7	Composição com Free Vector Maps WRLD-EPS-02-0007
73	Ilustração	8	Mahatma Gandhi, Be the change
74	Figura	10	Apartheid na Índia
75	Foto	7	No Museu Nacional do Gandhi em Nova Delhi, Índia
78	Tabela	2	Bom e mau exemplo nas áreas de Inteligência de vendas, Qualidade e Controladoria
78	Ilustração	9	Disneyland castle, Freepik Creative Commons
79	Ilustração	10	Rocket Icon, shutterstock_200924603
79	Ilustração	11	Money Icons, composição com shutterstock_149610011
83	Ilustração	12	Chefe vs. Líder, composição com shutterstock_185863238
84	Ilustração	13	Logo 3dimensões do comportamento
85	Ilustração	14	Logo Perfil comportamental
86	Gráfico	10	Quadrantes DISC®, Adaptado por J.M. Furlan de "As 8 Dimensões da Liderança", Sugerman Jeffrey et al.
87	Tabela	3	Significados DISC® por letra
88	Tabela	4	População DISC®, Sebastian, E.G.. *Communication Skills Magic*
89	Ilustração	15	Personagens DISC®, composição de shutterstock_142010713
88	Tabela	5	Comportamento por perfil DISC®
92	Gráfico	11	Fragmento do Canvas da Liderança AdaptÁgil (L2)
93	Ilustração	15	Redesenho: Voo 1650, o mais longo do país. Percorre 5753 Km em 13horas. Fonte: Superinteressante
96	Gráfico	12	Estágios de desenvolvimento D4-D1, fonte: Blanchard, Ken. Liderança de Alto Nível, p.74.
99	Gráfico	13	Quadrantes dos estágios de desenvolvimento D4-D1, Adaptado de: Blanchard, Ken. Liderança de Alto Nível, p.74.
100	Ilustração	16	Logo maturidade emocional
100	Tabela	6	Níveis de maturidade emocional (simplificado)
101	Tabela	7	Descrição dos níveis de maturidade emocional
106	Gráfico	14	Índice de percepção de corrupção, Traduzido do livro Smart Trust, de M.R. Covey e Greg Link
107	Gráfico	15	Percentual de pessoas que acreditam que os outros merecem confiança - Estudo Gallup 2009, Traduzido do livro *Smart Trust*, de M.R. Covey e Greg Link

111	Tabela	8	Adaptado de *A Velocidade da Confiança*, de Stephen M. R. Covey e Rebecca R. Merrill, 2007
112	Foto	8	Discutindo sobre o livro *Trust Works* com o próprio autor, Ken Blanchard
113	Gráfico	16	4C's da Confiança, Traduzido e adaptado por João Marcelo Furlan, do livro *Trust Works* (Blanchard, Ken; Olmstead, Cynthia; Lawrence, Martha. ABCD Trust model é marca registrada Blanchard Companies
115	Tabela	9	Os 10 passos para retomar a confiança, Traduzido de: Leigh L. Thompson, *The Mind and Heart of the Negotiator*, in: *Part II Advanced Negotiation Skills*, (Prentice Hall, 2010), capítulo 6, pp. 137-138
124	Ilustração	17	O processo de comunicação (parcial) - Composição com shutterstock_76664440
125	Ilustração	18	O processo de comunicação (completo) - Composição com shutterstock_76664440
126	Gráfico	17	Pirâmide de riqueza do canal de comunicação, Adaptado e traduzido do livro *Administração*, de Richard L. Daft
128	Ilustração	19	Janela de JoHari, composição com shutterstock_211183396
130	Gráfico	18	Ponto cego
131 e 132	Tabela	10	Como compartilhar a visão com cada estilo DISC®, Adaptado de E. G. Sebastian, *Communication-Skills Magic* (Createspace, 2010)
128	Ilustração	20	shutterstock_128296259
137 a 140	Tabela	11	As 11 táticas de influência, Adaptado de Gary Yukl, *Leadership in Organizations* (Prentice Hall, 8ª ed., 2012). Cap.8, p.29. A adaptação aos perfis do DISC® teve como base a compilação de respostas de centenas de profissionais participantes de workshops implementados pela Enora Leaders
146	Gráfico	19	Percentual de respostas positivas em produtividade
146	Gráfico	20	Percentual de pessoas que pensam em pedir demissão
147	Gráfico	21	Percentual da satisfação/comprometimento do funcionário
148	Gráfico	22	Impacto do líder ser o exemplo para o comprometimento do funcionário
150	Foto	9	Curso em negociação na Harvard Law School
153	Gráfico	23	Função da Liderança + Engajamento
154	Tabela	12	Pesquisa mundial de engajamento Fonte: *The State of the Global Workplace - Employee Engagement Insights for Business Leaders Worldwide*. Instituto Gallup, outubro 2011
155	Tabela	13	Pesquisa mundial de engajamento Fonte: *The State of the Global Workplace - Employee Engagement Insights for Business Leaders Worldwide*. Instituto Gallup, outubro 2011
156	Gráfico	24	Os 4 Estilos de liderança, Modeo LSII®, Ken Blanchard, *Liderança em Alto Nível: Como Criar e Liderar Organizações de Alto Desempenho* (Bookman, 2011), capítulo 5
157	Gráfico	25	Fragmento E1 de LSII® (Gráfico 24)
158	Gráfico	26	Fragmento E2 de LSII® (Gráfico 24)

Notas

159	Gráfico	27	Fragmento E3 de LSII® (Gráfico 24)
160	Gráfico	28	Fragmento E4 de LSII® (Gráfico 24)
165	Tabela	14	Quadrantes da inteligência emocional, fonte: Travis Bradberry e Jean Greaves, *Emotional Intelligence 2.0* (TalentSmart, 2009).
168	Tabela	15	Estratégias da inteligência emocional, fonte: Traduzido e adaptado de *Emotional Intelligence 2.0*
169	Tabela	16	Reações em Feedback, Fonte: *O Novo Feedback*, Cibele Reschke. Revista *Você S.A.*, junho de 2014. - Travis Bradberry e Jean Greaves
180	Tabela	17	Estimulando diferentes níveis de maturidade emocional, fonte: Edward E. Morler. Op.cit.
183	Foto	10	Nas Petronas Towers, em Kuala Lumpur, capital da Malásia, em 2006
183	Foto	11	AIESEC CONACT 2012
184	Foto	12	Conferência da AIESEC ilha de Bohol, nas Filipinas, 2006
184	Gráfico	29	Escalada da liderança - Apresentação original do Prezi
185	Gráfico	30	Versão inicial do FLAPS! em 2012.
186	Foto	13	David Ulrich no CONARH 2014
187	Figura	11	Imagem do site TED, vídeo "Angela Lee Duckworth: A chave para o sucesso? A determinação."
188	Figura	12	Líderes mundiais segundo os jovens, Pesquisa "Empresa dos Sonhos dos Jovens" – 13ª edição
188	Figura	13	Imagem da capa da revista *Harvard Business Review Brasil* (edição de dezembro de 2013)
191	Ilustração	21	Composição com shutterstock_133249583
192	Ilustração	22	Sinapse e Neurotransmissores, Redesenhado de PesquisaWeb-Med
194	Foto	14	Conjunto de fotos "Comemore"
196	Gráfico	31	Curva de esquecimento, tradução e redesenho de CHSAPPsych: verbete "Hermann Ebbinghaus"

FLAPS!

Cartão de embarque

Origem: VC ✈ **Destino:** LDR **Escalas:** L1-L6

Assento: Piloto **Embarque:** Imediato

Portão de embarque: https://flaps.enora.com.br

Com este código você desbloqueia funcionalidades exclusivas na plataforma FLAPS!

Seu código de embarque

#flaps360

Na plataforma você terá acesso exclusivo para:
- Autoavaliações.
- Preencher o Canvas online.
- Centralizar as informações de sua equipe dentro do seu perfil.
- Receber e-books e vídeos exclusivos.

E mais!...

DVS EDITORA

www.dvseditora.com.br